MANDARIN CHINESE

Learning Through Conversation

Kang Yuhua and Lai Siping
Associate Professors,
Beijing Language and Culture University

BARRON'S

图书在版编目(CIP)数据

MANDARIN CHINESE–Learning Through Conversation Ⅱ　康玉华，来思平 编著.
—北京：北京语言大学出版社，2008.4
ISBN 978−7−5619−2087−9

Ⅰ.汉…　Ⅱ.①康…　②来…　Ⅲ.汉语－口语－对外汉语教学－教材　Ⅳ.H195.4

中国版本图书馆 CIP 数据核字 (2008) 第 059717 号

All inquiries should be addressed to:
Barron's Educational Series, Inc.
250 Wireless Boulevard
Hauppauge, NY 11788
www.barronseduc.com
ISBN-13: 978-0-7641-4038-9 (book only)
ISBN-10: 0-7641-4038-8 (book only)
ISBN-13: 978-0-7641-9518-1 (book and CD set)
ISBN-10: 0-7641-9518-2 (book and CD set)
Library of Congress Control Number: 2008928363

书　　　名：MANDARIN CHINESE–Learning Through Conversation　Ⅱ
中文编辑：于　晶　　英文编辑：武思敏
责任印制：汪学发

出版发行：北京语言大学出版社
社　　址：北京市海淀区学院路 15 号　　邮政编码：100083
网　　址：www.blcup.com
印　　刷：北京新丰印刷厂

版　　次：2008 年 7 月第 1 版　　2008 年 7 月第 1 次印刷
开　　本：889 毫米×1194 毫米　　1/16　　印张：18
字　　数：321 千字　　印数：1-8000 册
书　　号：ISBN 978-7-5619-2087-9/H·08076
　　　　　06000

MANDARIN CHINESE
—LEARNING THROUGH CONVERSATION

PREFACE

Mandarin Chinese—Learning Through Conversation is intended to be an intensive course book for foreigners who have just started to learn Chinese.

This book consists of 40 lessons and 8 reviews. The 40 lessons encompass nearly 30 communicative functions such as "Greeting" and "Making an Acquaintance", about 800 new words and the fundamentals of Chinese grammar. Each lesson is divided into six parts: Sentences, Conversations, Substitution and Extension, New Words, Grammar, and Exercises.

This book lays emphasis on improving the ability of the learner to use Chinese for communication. It integrates the communicative function with the grammatical structure and presents the most essential and useful part of the language in the linguistic environments one is usually exposed to in daily life, so as to enable the learner to master about 300 basic conversational sentences fairly quickly, and on that basis, through the drills of "Substitution and Extension", to acquire the ability to carry on simple conversations in Chinese. In this way, the book will also help lay a solid foundation for further study.

The exercises are varied and plentiful. The reviews give due attention to improving the conversational and narrative skills of the learner, as well as systematically summarizing the grammar points covered. The exercises in each lesson and the reviews may be used in totality or in part, according to actual circumstances.

The Compilers

CONTENTS

目 录

汉语拼音字母表
The Chinese Phonetic Alphabet

印刷体 printed forms	书写体 written forms	字母名称 names	印刷体 printed forms	书写体 written forms	字母名称 names
A a	*A a*	[a]	N n	*N n*	[nɛ]
B b	*B b*	[pɛ]	O o	*O o*	[o]
C c	*C c*	[ts'ɛ]	P p	*P p*	[p'ɛ]
D d	*D d*	[tɛ]	Q q	*Q q*	[tɕ'iou]
E e	*E e*	[ɤ]	R r	*R r*	[ar]
F f	*F f*	[ɛf]	S s	*S s*	[ɛs]
G g	*G g*	[kɛ]	T t	*T t*	[t'ɛ]
H h	*H h*	[xa]	U u	*U u*	[u]
I i	*I i*	[i]	V v	*V v*	[vɛ]
J j	*J j*	[tɕie]	W w	*W w*	[wa]
K k	*K k*	[k'ɛ]	X x	*X x*	[çi]
L l	*L l*	[ɛl]	Y y	*Y y*	[ja]
M m	*M m*	[ɛm]	Z z	*Z z*	[tsɛ]

词类简称表
Abbreviations

1.	名	名词	míngcí	noun
2.	代	代词	dàicí	pronoun
3.	动	动词	dòngcí	verb
4.	能动	能愿动词	néngyuàn dòngcí	modal verb
5.	形	形容词	xíngróngcí	adjective
6.	数	数词	shùcí	numeral
7.	量	量词	liàngcí	measure word
8.	副	副词	fùcí	adverb
9.	介	介词	jiècí	preposition
10.	连	连词	liáncí	conjunction
11.	助	助词	zhùcí	particle
		动态助词	dòngtài zhùcí	aspect particle
		结构助词	jiégòu zhùcí	structural particle
		语气助词	yǔqì zhùcí	modal particle
12.	叹	叹词	tàncí	interjection
13.	象声	象声词	xiàngshēngcí	onomatopoeia
14.	头	词头	cítóu	prefix
15.	尾	词尾	cíwěi	suffix

Qǐng nǐ cānjiā
请你参加
WILL YOU JOIN US?

1　

Jùzi
句子 Sentences

141　喂，北大 中文系 吗？
Wèi, Běi-Dà Zhōngwénxì ma?

Hello! Is that Chinese Department of Peking University?

142　我 是 中文系。①
Wǒ shì Zhōngwénxì.

This is the Chinese Department.

143　您 找 哪 位？
Nín zhǎo nǎ wèi?

Who would you like to speak to?

144　她 在 楼 下 复印 呢。
Tā zài lóu xià fùyìn ne.

She is photocopying something downstairs.

145　请 她 给 我 回 个 电话。
Qǐng tā gěi wǒ huí ge diànhuà.

Please tell her to return my call.

146　我 一定 转告 她。
Wǒ yídìng zhuǎngào tā.

I'll certainly tell her about it.

147　现在 你 做 什么 呢？
Xiànzài nǐ zuò shénme ne?

What are you doing there right now?

148　(现在) 在 休息 呢。
(Xiànzài) zài xiūxi ne.

I am having a rest.

2

Huìhuà
会话 Conversations

1 ......

玛丽： 喂，北大 中文系 吗？
Mǎlì: Wèi, Běi-Dà Zhōngwénxì ma?

中文系： 对，我 是 中文系。 您 找 哪 位？
Zhōngwénxì: Duì, wǒ shì Zhōngwénxì. Nín zhǎo nǎ wèi?

玛丽： 李 红 老师 在 吗？
Mǎlì: Lǐ Hóng lǎoshī zài ma?

中文系： 不在，她 在 楼 下 复印 呢。 您 找 她 有 什么 事？
Zhōngwénxì: Bú zài, tā zài lóu xià fùyìn ne. Nín zhǎo tā yǒu shénme shì?

玛丽： 她 回来 以后， 请 她 给 我 回 个 电话。
Mǎlì: Tā huílai yǐhòu, qǐng tā gěi wǒ huí ge diànhuà.

我 叫 玛丽。
Wǒ jiào Mǎlì.

中文系： 好， 我 一定 转告 她。
Zhōngwénxì: Hǎo, wǒ yídìng zhuǎngào tā.

她 知道 您 的 电话 吗？
Tā zhīdào nín de diànhuà ma?

玛丽： 知道，谢谢！
Mǎlì: Zhīdào, xièxie!

中文系： 不 客气。
Zhōngwénxì: Bú kèqi.

2......

李红： 喂， 玛丽 吗？ 刚才 你 给 我 打 电话 了？
Lǐ Hóng： Wèi, Mǎlì ma? Gāngcái nǐ gěi wǒ dǎ diànhuà le?

玛丽： 是 啊， 现在 你 做 什么 呢？
Mǎlì： Shì a, xiànzài nǐ zuò shénme ne?

李红： 在 休息 呢。
Lǐ Hóng： Zài xiūxi ne.

玛丽： 告诉 你， 明天 晚上 有 个 圣诞 节
Mǎlì： Gàosu nǐ, míngtiān wǎnshang yǒu ge Shèngdàn Jié

晚会， 请 你 参加。
wǎnhuì, qǐng nǐ cānjiā.

李红： 好， 我 一定 去。
Lǐ Hóng： Hǎo, wǒ yídìng qù.

玛丽： 晚上 八点，我 在 友谊 宾馆 门口 等 你。
Mǎlì： Wǎnshang bā diǎn, wǒ zài Yǒuyì Bīnguǎn ménkǒu děng nǐ.

李红： 王 老师 也 去 吗？
Lǐ Hóng： Wáng lǎoshī yě qù ma?

玛丽： 去， 跟 她 先生 一起 去。
Mǎlì： Qù, gēn tā xiānsheng yìqǐ qù.

李红： 那 好 极 了！
Lǐ Hóng： Nà hǎo jí le!

Zhùshì
注释：Notes

① "我是中文系。" "Wǒ shì Zhōngwénxì." This is the Chinese Department.

电话用语。表示接电话的人所在的单位。

Diànhuà yòngyǔ. Biǎoshì jiē diànhuà de rén suǒzài de dānwèi.

It is a telephone expression denoting the unit where the person who answers the phone works.

3 Tìhuàn yǔ Kuòzhǎn
替换与扩展 Substitution and Extension

▶ **替换 Tìhuàn**

1. 我一定转告他。
   Wǒ yídìng zhuǎngào tā.

告诉	通知	叫	帮助
gàosu	tōngzhī	jiào	bāngzhù

2. A: 现在你做什么呢?
   Xiànzài nǐ zuò shénme ne?

复印	看报	跳舞	发短信
fùyìn	kàn bào	tiào wǔ	fā duǎnxìn

   B: 在休息呢。
   Zài xiūxi ne.

做练习	听录音	看电视	上网
zuò liànxí	tīng lùyīn	kàn diànshì	shàng wǎng

3. 明天晚上我们有个
   Míngtiān wǎnshang wǒmen yǒu ge
   圣诞节晚会。
   Shèngdàn Jié wǎnhuì.

星期天	新年晚会
xīngqītiān	xīnnián wǎnhuì
星期六晚上	舞会
xīngqīliù wǎnshang	wǔhuì
新年的时候	音乐会
xīnnián de shíhou	yīnyuèhuì

▶ **扩展 Kuòzhǎn**

1. 里边 正在 开新年 晚会，他们 在 唱 歌 呢，
   Lǐbian zhèngzài kāi xīnnián wǎnhuì, tāmen zài chàng gē ne,

快　进去　吧。
kuài　jìnqu　ba.

2. 明天　　上午　　去 参观，八 点 在　留学生　楼
Míngtiān shàngwǔ qù cānguān, bā diǎn zài liúxuéshēng lóu

前边　　　上　车。请　通知　一下儿。
qiánbian shàng chē. Qǐng tōngzhī yíxiàr.

4

Shēngcí
生词 New Words

1	参加	V.	cānjiā	to participate
2	喂	Interj.	wèi	hello
3	中文	N.	Zhōngwén	Chinese
4	系	N.	xì	department
5	位	M.W.	wèi	(a measure word for people)
6	复印	V.	fùyìn	to photocopy
7	一定	Adv., Adj.	yídìng	certainly; certain
8	转告	V.	zhuǎngào	to pass on, to tell
9	刚才	N.	gāngcái	just now
10	晚会	N.	wǎnhuì	evening party
11	门口	N.	ménkǒu	doorway
12	通知	V., N.	tōngzhī	to inform; notice
13	帮助	V., N.	bāngzhù	to help; help

14	报	N.	bào	newspaper
15	跳舞		tiào wǔ	dance
16	练习	V., N.	liànxí	to do exercises; exercise
17	新年	N.	xīnnián	New Year
18	舞会	N.	wǔhuì	dancing party, ball
19	里边	N.	lǐbian	inside
20	正在	Adv.	zhèngzài	in the midst of
21	开	V.	kāi	to have (a meeting)
22	唱	V.	chàng	to sing
23	歌	N.	gē	song
24	参观	V.	cānguān	to visit

Zhuānmíng
专名 Proper Names

1	李红	Lǐ Hóng	Li Hong (name of a person)
2	圣诞节	Shèngdàn Jié	Christmas
3	友谊宾馆	Yǒuyì Bīnguǎn	Friendship Hotel

5

Yǔfǎ
语法 Grammar

动作的进行 Dòngzuò de jìnxíng The continuous action

❶ 一个动作可以处在进行、持续、完成等不同的阶段。要表示动作正在进行，可在动词前加副词"正在"、"正"、"在"，或在句尾加语气助词"呢"。有时"正在"、"正"、"在"也可以和"呢"同时使用。例如：

Yí ge dòngzuò kěyǐ chǔ zài jìnxíng、chíxù、wánchéng děng bùtóng de jiēduàn. Yào biǎoshì dòngzuò zhèngzài jìnxíng, kě zài dòngcí qián jiā fùcí "zhèngzài"、 "zhèng"、 "zài", huò zài jù wěi jiā yǔqì zhùcí "ne". Yǒushí "zhèngzài"、"zhèng"、 "zài" yě kěyǐ hé "ne" tóngshí shǐyòng. Lìrú:

An action may undergo different stages. It may be in progress or may have been completed. One can add an adverb ("正在 zhèngzài," "正 zhèng" or "在 zài") before the verb or the modal particle "呢 ne" at the end of the sentence to show that the action is going on. Occasionally, "正在," "正" or "在" can be used with "呢" in the same sentence, e.g.

(1) 学生正在上课 (呢)。
　　Xuésheng zhèngzài shàng kè (ne).

(2) 他来的时候，我正看报纸 (呢)。
　　Tā lái de shíhou, wǒ zhèng kàn bàozhǐ (ne).

(3) 他在听音乐 (呢)。
　　Tā zài tīng yīnyuè (ne).

(4) 他写信呢。
　　Tā xiě xìn ne.

❷ 一个进行的动作可以是现在，也可以是过去或将来。例如：
Yí ge jìnxíng de dòngzuò kěyǐ shì xiànzài, yě kěyǐ shì guòqù huò jiānglái. Lìrú:

An activity may be in progress at present or at a point of time in the future. It may have been in progress at a point of time in the past as well, e.g.

(1) A: 你做什么呢?
　　　Nǐ zuò shénme ne?

　　B: 休息呢。(现在 present)
　　　Xiūxi ne. (xiànzài)

(2) A: 昨天我给你打电话的时候，你做什么呢?
　　　Zuótiān wǒ gěi nǐ dǎ diànhuà de shíhou, nǐ zuò shénme ne?

　　B: 我做练习呢。(过去 past)
　　　Wǒ zuò liànxí ne. (guòqù)

(3) 明天上午你去找他，他一定在上课。(将来 future)
　　Míngtiān shàngwǔ nǐ qù zhǎo tā, tā yídìng zài shàng kè. (jiānglái)

6

Liànxí
练习 Exercises

① 用"正在……呢"完成句子，并用上括号里的词语
Yòng "zhèngzài…ne" wánchéng jùzi, bìng yòng shàng kuòhào li de cíyǔ
Complete the following sentences with "正在…呢" and the words in the parentheses.

(1) 今天有舞会，他们＿＿＿＿＿＿＿。（跳舞）
    Jīntiān yǒu wǔhuì, tāmen＿＿＿＿＿＿. (tiào wǔ)

(2) 你看，玛丽＿＿＿＿＿＿＿。（打电话）
    Nǐ kàn, Mǎlì＿＿＿＿＿＿. (dǎ diànhuà)

(3) 今天天气不错，王兰和她的朋友＿＿＿＿＿＿＿。（照相）
    Jīntiān tiānqì búcuò, Wáng Lán hé tā de péngyou＿＿＿＿＿＿.
                                                 (zhào xiàng)

(4) 和子＿＿＿＿＿＿＿。（洗衣服）
    Hézǐ＿＿＿＿＿＿. (xǐ yīfu)

② 仿照例子，用"正在……呢"造句 Fǎngzhào lìzi, yòng "zhèngzài…ne" zào jù
Make sentences with "正在…呢" by following the model.

> 例：去他家　看书　→　昨天我去他家的时候，他正在看书呢。
> qù tā jiā　kàn shū → Zuótiān wǒ qù tā jiā de shíhou, tā zhèngzài kàn shū ne.

(1) 去邮局　　　　　寄信
    qù yóujú　　　　　jì xìn

(2) 去他宿舍　　　　睡觉
    qù tā sùshè　　　　shuì jiào

(3) 去看他　　　　　喝咖啡
    qù kàn tā　　　　　hē kāfēi

(4) 到动物园　　　　看熊猫
    dào dòngwùyuán　　kàn xióngmāo

(5) 到车站　　　　　等汽车
    dào chēzhàn　　　　děng qìchē

（6）到银行　　　　　换钱
　　　 dào yínháng　　　huàn qián

3 **完成对话** Wánchéng duìhuà　Complete the following conversation.

A：喂，张老师家吗？

B：对，＿＿＿＿＿＿＿？

A：我找＿＿＿＿＿＿＿。

B：我就是，你是谁啊？

A：＿＿＿＿＿＿＿。您好吗？

B：我很好。

A：今天晚上我请您看电影，好吗？

B：＿＿＿＿＿＿＿。什么时候去？

A：＿＿＿＿＿＿＿。

A：Wèi, Zhāng lǎoshī jiā ma?

B：Duì, ＿＿＿＿＿＿＿?

A：Wǒ zhǎo＿＿＿＿＿＿＿.

B：Wǒ jiù shì, nǐ shì shuí a?

A：＿＿＿＿＿＿＿. Nín hǎo ma?

B：Wǒ hěn hǎo.

A：Jīntiān wǎnshang wǒ qǐng nín kàn diànyǐng, hǎo ma?

B：＿＿＿＿＿＿＿. Shénme shíhou qù?

A：＿＿＿＿＿＿＿.

4 **练习打电话** Liànxí dǎ diànhuà　Practice making telephone calls.

（1）A 邀请 B 去听音乐会

　　 A yāoqǐng B qù tīng yīnyuèhuì

　　 提示：时间、地点（dìdiǎn, place）；怎么去？音乐会怎么样？

　　 Tíshì: Shíjiān、dìdiǎn; Zěnme qù? Yīnyuèhuì zěnmeyàng?

　　 A invites B to a concert.

　　 Suggested points: time, place; How to go there? How is the concert?

（2）A 邀请 B 去饭店吃饭

A yāoqǐng B qù fàndiàn chī fàn

提示：时间、地点；怎么去？吃什么？

Tíshì: Shíjiān、dìdiǎn；Zěnme qù? Chī shénme?

A invites B to a restaurant.

Suggested points: time, place; How to go there? What to eat?

5 听述 Tīng shù　Listen and retell.

汉斯（Hànsī, Hans）来了，今天我们公司请他参加欢迎会(huì, meeting)。下午两点钟，翻译小王打电话通知他，告诉他五点半在房间等我们，我们开车去接他。

欢迎会开得很好，大家为友谊干杯，为健康干杯，像一家人一样。

Hànsī lái le, jīntiān wǒmen gōngsī qǐng tā cānjiā huānyínghuì.

Xiàwǔ liǎng diǎnzhōng, fānyì Xiǎo Wáng dǎ diànhuà tōngzhī tā, gàosu tā wǔ diǎn bàn zài fángjiān děng wǒmen, wǒmen kāi chē qù jiē tā.

Huānyínghuì kāi de hěn hǎo, dàjiā wèi yǒuyì gān bēi, wèi jiànkāng gān bēi, xiàng yì jiā rén yíyàng.

6 语音练习 Yǔyīn liànxí　Phonetic drills

（1）常用音节练习 Chángyòng yīnjié liànxí　Drill on the frequently used syllables

	shíjiān	时间		xiāngzi	箱子
jian	jiǎnchá	检查	xiang	xiǎngxiàng	想象
	jiànkāng	健康		zhào xiàng	照相

（2）朗读会话 Lǎngdú huìhuà　Read aloud the conversation.

A：Wèi, shì yāo èr líng wǔ fángjiān ma?

B：Shì de. Qǐngwèn nǐ zhǎo nǎ wèi?

A：Qǐng jiào Dàwèi jiē diànhuà.

B：Hǎo de. Qǐng děng yíxiàr.

A：Máfan nǐ le, xièxie!

Wǒ bù néng qù
我不能去
I CAN'T GO

Jùzi
句子 Sentences

149 我 买 了 两 张 票。   I have bought two tickets.
Wǒ mǎile liǎng zhāng piào.

150 真 不 巧，我 不 能 去。   Unfortunately I can't go.
Zhēn bù qiǎo, wǒ bù néng qù.

151 今天 你 不 能 去，那 就   If you can't make it today, we will
Jīntiān nǐ bù néng qù, nà jiù   go sometime later.

以后 再 说 吧。
yǐhòu zài shuō ba.

152 我 很 想 去，可是 我 有 个   I'd like to go, but I have a date.
Wǒ hěn xiǎng qù, kěshì wǒ yǒu ge

约会。
yuēhuì.

153 你 是 跟 女 朋友 约会 吗?   Will you have a date with your
Nǐ shì gēn nǚ péngyou yuēhuì ma?   girlfriend?

154 有 个 同学 来 看 我，我   A classmate of mine is coming to see
Yǒu ge tóngxué lái kàn wǒ, wǒ   me, so I will have to wait for him.

要 等 他。
yào děng tā.

155 我们 好 几 年 没 见 面 了。   We haven't seen each other for a
Wǒmen hǎo jǐ nián méi jiàn miàn le.   number of years.

156 这 星期 我 没 空 儿。   I am fully occupied this week.
Zhè xīngqī wǒ méi kòngr.

2
会话 Conversations
Huìhuà

1 .....

丽英: 我 买 了 两 张 票。请 你 看 话剧。
Liyǐng: Wǒ mǎile liǎng zhāng piào. Qǐng nǐ kàn huàjù.

玛丽: 是 吗?① 什么 时候 的?
Mǎli: Shì ma? Shénme shíhou de?

丽英: 今天 晚上 七 点 一 刻 的。
Liyǐng: Jīntiān wǎnshang qī diǎn yí kè de.

玛丽: 哎呀,真 不 巧,我 不 能 去。 明天 就 考试
Mǎli: Āiyā, zhēn bù qiǎo, wǒ bù néng qù. Míngtiān jiù kǎoshì

了， 晚上 要 复习。
le , wǎnshang yào fùxí.

丽英： 那 就 以后 再 说② 吧。
Lìyīng： Nà jiù yǐhòu zài shuō ba.

2.....

王兰： 明天 有 个 画展， 你 能 去 吗?
Wáng Lán： Míngtiān yǒu ge huàzhǎn, nǐ néng qù ma?

大卫： 我 很 想 去，可是 明天 有 个 约会。
Dàwèi： Wǒ hěn xiǎng qù, kěshì míngtiān yǒu ge yuēhuì.

王兰： 怎么? 是 跟 女 朋友 约会 吗?③
Wáng Lán： Zěnme? Shì gēn nǚ péngyou yuēhuì ma?

大卫： 不 是， 有 个 同学 来 看 我，我 要 等 他。
Dàwèi： Bú shì, yǒu ge tóngxué lái kàn wǒ , wǒ yào děng tā.

王兰： 他 也 在 北京 学习 吗?
Wáng Lán： Tā yě zài Běijīng xuéxí ma?

大卫： 不，刚 从 法国 来。我们 好 几 年 没 见 面 了。
Dàwèi： Bù, gāng cóng Fǎguó lái. Wǒmen hǎo jǐ nián méi jiàn miàn le.

王兰： 你 应该 陪 他 玩儿玩儿。
Wáng Lán： Nǐ yīnggāi péi tā wánrwanr.

大卫： 这 星期 我 没 空儿， 下 星期 我们 再 去 看
Dàwèi： Zhè xīngqī wǒ méi kòngr, xià xīngqī wǒmen zài qù kàn

画展， 可以 吗?
huàzhǎn, kěyǐ ma?

王兰: 我 再 问问， 以后 告诉 你。
Wáng Lán: Wǒ zài wènwen, yǐhòu gàosu nǐ.

大卫: 好。
Dàwèi: Hǎo.

① "是吗?" "Shì ma?" Really?

表示原来不知道某事，听说后觉得有点儿意外。有时还表示不太相信。

Biǎoshì yuánlái bù zhīdào mǒu shì, tīngshuō hòu juéde yǒudiǎnr yìwài. Yǒushí hái biǎoshì bú tài xiāngxìn.

The expression is used to show that one is surprised at hearing something he is not aware of, or something he is skeptical about.

② "再说" "Zài shuō"

"再说" 表示把某件事留待以后再办理或考虑。

"Zài shuō" biǎoshì bǎ mǒu jiàn shì liúdài yǐhòu zài bànlǐ huò kǎolǜ.

"再说 zài shuō" expresses that something can be put off for later consideration or treatment.

③ "怎么? 是跟女朋友约会吗?" "Zěnme? Shì gēn nǚ péngyou yuēhuì ma?"
Why? Will you have a date with your girlfriend?

"怎么?" 是用来询问原因的。"是" 用来强调后边内容的真实性。

"Zěnme" shì yònglái xúnwèn yuányīn de. "Shì" yònglái qiángdiào hòubian nèiróng de zhēnshíxìng.

"怎么 zěnme" is used to inquire about the reason. "是 shì" stresses the truthfulness of the following informating.

3  Tìhuàn yǔ Kuòzhǎn
替换与扩展 Substitution and Extension

替换 Tìhuàn

1. 我买了两张票。
   Wǒ mǎile liǎng zhāng piào.

翻译	句子(个)	寄 信(封)
fānyì	jùzi (gè)	jì xìn (fēng)
参加	会(个)	要 出租汽车(辆)
cānjiā	huì (gè)	yào chūzū qìchē(liàng)

2. 我们好几年没见面了。
   Wǒmen hǎo jǐ nián méi jiàn miàn le.

几天	几个月
jǐ tiān	jǐ ge yuè
长时间	几个星期
cháng shíjiān	jǐ ge xīngqī

3. 你应该陪他玩儿玩儿。
   Nǐ yīnggāi péi tā wánrwanr.

带	参观	帮	问
dài	cānguān	bāng	wèn
帮助	复习	请	介绍
bāngzhù	fùxí	qǐng	jièshào

扩展 Kuòzhǎn

1. 我 正 要去找你，你 就 来了，太 巧 了。
   Wǒ zhèng yào qù zhǎo nǐ， nǐ jiù lái le， tài qiǎo le.

2. A: 那个 姑娘 真 漂亮。 她 是 谁?
   Nàge gūniang zhēn piàoliang. Tā shì shuí?

   B: 她 是 那个 高 个子 男孩儿 的 女 朋友。
   Tā shì nàge gāo gèzi nánháir de nǚ péngyou.

Shēngcí
生词 New Words

1	巧	Adj.	qiǎo	fortunate
2	再说		zài shuō	put off until some time later
3	可是	Conj.	kěshì	however, but
4	约会	N., V.	yuēhuì	date, appointment; to date
5	女	Adj.	nǚ	woman, female
6	同学	N.	tóngxué	classmate
7	好	Adv.	hǎo	quite, rather
8	见面		jiàn miàn	to meet, to see
9	空儿	N.	kòngr	free time
10	话剧	N.	huàjù	stage play
11	复习	V.	fùxí	review
12	画展	N.	huàzhǎn	exhibition of paintings
13	刚	Adv.	gāng	just now
14	陪	V.	péi	to accompany
15	句子	N.	jùzi	sentence
16	封	M.W.	fēng	(a measure word for something enveloped)
17	会	N.	huì	meeting
18	正	Adv.	zhèng	just, right
19	姑娘	N.	gūniang	girl
20	漂亮	Adj.	piàoliang	beautiful

21	高	Adj.	gāo	tall
22	个子	N.	gèzi	height
23	男孩儿	N.	nánháir	boy

5 语法 Grammar

Yǔfǎ

1. 时段词语作状语 Shíduàn cíyǔ zuò zhuàngyǔ
Words or phrases of duration as adverbial adjuncts

时段词语作状语表示在此段时间内完成了什么动作或出现了什么情况。例如：

Shíduàn cíyǔ zuò zhuàngyǔ biǎoshì zài cǐ duàn shíjiān nèi wánchéngle shénme dòngzuò huò chūxiànle shénme qíngkuàng. Lìrú:

A word or phrase of duration indicates a period of time in which some action was completed or something occurred when it is used as an adverbial adjunct, e.g.

（1）他两天看了一本书。
Tā liǎng tiān kànle yì běn shū.

（2）我们好几年没见面了。
Wǒmen hǎo jǐ nián méi jiàn miàn le.

2. 动态助词 "了" Dòngtài zhùcí "le"   The aspect particle "了"

❶ 在动词之后表示动作所处阶段的助词叫动态助词。动态助词 "了" 在动词后边表示动作的完成。有宾语时，宾语常带数量词或其他定语。例如：

Zài dòngcí zhīhòu biǎoshì dòngzuò suǒ chǔ jiēduàn de zhùcí jiào dòngtài zhùcí. Dòngtài zhùcí "le" zài dòngcí hòubian biǎoshì dòngzuò de wánchéng. Yǒu bīnyǔ shí，bīnyǔ cháng dài shùliàngcí huò qítā dìngyǔ. Lìrú:

A particle is called an aspect particle when it is used to indicate the stage which an action has reached. The particle "了 le" usually indicates the completion of an action denoted by a verb when it comes after thatverb. When "了" is followed by an object, that object is often preceded by a numeral-measure word or some other attributive, e.g.

（1）我昨天看了一部电影。

Wǒ zuótiān kànle yí bù diànyǐng.

（2）玛丽买了一辆自行车。

Mǎlì mǎile yí liàng zìxíngchē.

（3）我收到了他寄给我的东西。

Wǒ shōudàole tā jì gěi wǒ de dōngxi.

❷ 动作完成的否定是在动词前加"没(有)"，动词后不再用"了"。例如：

Dòngzuò wánchéng de fǒudìng shì zài dòngcí qián jiā "méi (yǒu)", dòngcí hòu bú zài yòng "le". Lìrú:

To show that an action has failed to occur, "没(有) méi(yǒu)" is added before the verb and "了" is omitted at the same time, e.g.

（4）他没来。

Tā méi lái.

（5）我没(有)看电影。

Wǒ méi (yǒu) kàn diànyǐng.

6

Liànxí
练习 Exercises

❶ 用"可是"完成句子 Yòng "kěshì" wánchéng jùzi

Complete the sentences with "可是."

（1）他六十岁了，＿＿＿＿＿＿＿＿。

Tā liùshí suì le, ＿＿＿＿＿＿＿.

（2）今天我去小王家找他，＿＿＿＿＿＿＿。

Jīntiān wǒ qù Xiǎo Wáng jiā zhǎo tā, ＿＿＿＿＿＿＿.

（3）他学汉语的时间不长，＿＿＿＿＿＿＿。

Tā xué Hànyǔ de shíjiān bù cháng, ＿＿＿＿＿＿＿.

（4）这种苹果不贵，＿＿＿＿＿＿＿。

Zhè zhǒng píngguǒ bú guì, ＿＿＿＿＿＿＿.

（5）我请小王去看电影，＿＿＿＿＿＿＿。

Wǒ qǐng Xiǎo Wáng qù kàn diànyǐng, ＿＿＿＿＿＿＿.

2 为词语选择适当的位置 Wèi cíyǔ xuǎnzé shìdàng de wèizhì

Find appropriate places for the words in parentheses.

（1）他 A 没来中国 B 了。（两年）
Tā A méi lái Zhōngguó B le.（liǎng nián）

（2）你 A 能看完这本书 B 吗？（一个星期）
Nǐ A néng kàn wán zhè běn shū B ma?（yí ge xīngqī）

（3）昨天我复印 A 两课生词 B。（了）
Zuótiān wǒ fùyìn A liǎng kè shēngcí B.（le）

（4）我参观完 A 画展 B。（了）
Wǒ cānguān wán A huàzhǎn B.（le）

3 仿照例子，用动态助词"了"造句

Fǎngzhào lìzi, yòng dòngtài zhùcí "le"zào jù

Make sentences with the aspect particle "了" by following the model.

> 例：买　词典　→　昨天我买了一本词典。
> mǎi　cídiǎn　→　Zuótiān wǒ mǎile yì běn cídiǎn.

（1）喝　　　啤酒
　　　hē　　　píjiǔ

（2）照　　　照片
　　　zhào　　zhàopiàn

（3）复习　　两课生词
　　　fùxí　　liǎng kè shēngcí

（4）翻译　　几个句子
　　　fānyì　　jǐ ge jùzi

（5）开　　　会
　　　kāi　　　huì

（6）买　　　纪念邮票
　　　mǎi　　jìniàn yóupiào

4 **完成对话** Wánchéng duìhuà　Complete the following conversations.

（1）A：今天晚上有舞会，_____？

　　B：大概不行。

　　A：_____？

　　B：学习太忙，没有时间。

　　A：你知道王兰能去吗？

　　B：_____。

　　A：真不巧。

　　A：Jīntiān wǎnshang yǒu wǔhuì, _____?

　　B：Dàgài bù xíng.

　　A：_____?

　　B：Xuéxí tài máng, méiyǒu shíjiān.

　　A：Nǐ zhīdào Wáng Lán néng qù ma?

　　B：_____.

　　A：Zhēn bù qiǎo.

（2）A：圣诞节晚会你唱个中文歌吧。

　　B：_____。

　　A：别客气。

　　B：不是客气，我_____。

　　A：我听你唱过。

　　B：那是英文歌。

　　A：Shèngdàn Jié wǎnhuì nǐ chàng ge Zhōngwén gē ba.

　　B：_____.

　　A：Bié kèqi.

　　B：Bú shì kèqi, wǒ_____.

　　A：Wǒ tīng nǐ chàngguo.

　　B：Nà shì Yīngwén gē.

⑤ 会话 Huìhuà　Conversational drills

（1）你请朋友星期日去长城，他说星期日有约会，不能去。

　　Nǐ qǐng péngyou xīngqīrì qù Chángchéng, tā shuō xīngqīrì yǒu yuēhuì, bù néng qù.

　　You invite your friend to go to the Great Wall on Sunday, but he says he will have a date on sunday and can't go.

（2）你请朋友跟你跳舞，他说他不会跳舞。

　　Nǐ qǐng péngyou gēn nǐ tiào wǔ, tā shuō tā bú huì tiào wǔ.

　　You invite your friend to dance together with you, but he says he can't dance.

⑥ 用所给的词语填空并复述 Yòng suǒ gěi de cíyǔ tiánkòng bìng fùshù
Fill in the blanks with the given expressions and retell the passage.

演	太巧了	陪	顺利
yǎn	tài qiǎo le	péi	shùnlì

　　昨天晚上王兰＿＿＿＿玛丽去看京剧。她们从学校前边坐331路汽车去。＿＿＿＿，她们刚走到汽车站，车就来了。车上人不多，她们很＿＿＿＿。京剧＿＿＿＿得很好，很有意思。

　　Zuótiān wǎnshang Wáng Lán＿＿＿＿＿Mǎlì qù kàn jīngjù. Tāmen cóng xuéxiào qiánbian zuò sān sān yāo lù qìchē qù. ＿＿＿＿＿, tāmen gāng zǒu dào qìchē zhàn, chē jiù lái le. Chē shang rén bù duō, tāmen hěn＿＿＿＿＿.

　　Jīngjù＿＿＿＿＿de hěn hǎo, hěn yǒu yìsi.

⑦ 语音练习 Yǔyīn liànxí　Phonetic drills 🔘

（1）常用音节练习 Chángyòng yīnjié liànxí　Drill on the frequently used syllables

	zhúzi	竹子		láiguo	来过
zhu	zhǔrén	主人	lai	hòulái	后来
	zhùyì	注意		chūlái	出来

（2）朗读会话 Lǎngdú huìhuà Read aloud the conversation.

A：Nín hē píjiǔ ma?

B：Hē, lái yì bēi ba.

A：Hē bu hē pútaojiǔ?

B：Bù hē le.

A：Zhè shì Zhōngguó yǒumíng de jiǔ, hē yìdiǎnr ba.

B：Hǎo, shǎo hē yìdiǎnr.

A：Lái, gān bēi!

Duìbuqǐ

对不起
I AM SORRY

Jùzi
句子 Sentences

157 对不起，让你久等了。
Duìbuqǐ, ràng nǐ jiǔ děng le.

I am sorry to have kept you
waiting for so long.

158 你怎么八点半才来?
Nǐ zěnme bā diǎn bàn cái lái?

Why didn't you come until
half past eight?

159 真抱歉，我来晚了。
Zhēn bàoqiàn, wǒ lái wǎn le.

I am sorry I am late.

160 半路上我的自行车坏了。
Bàn lù shang wǒ de zìxíngchē huài le.

My bike broke down on my
way here.

161 自行车修好了吗?
Zìxíngchē xiū hǎo le ma?

Have you fixed your bike?

162 我怎么能不来呢?
Wǒ zěnme néng bù lái ne?

How could I fail to come?

163 我们快进电影院去吧。
Wǒmen kuài jìn diànyǐngyuàn qu ba.

Let's go into the cinema
right now.

163 星期日我买到一本新小说。
Xīngqīrì wǒ mǎi dào yì běn xīn xiǎoshuō.

I bought a new novel last
Sunday.

2

Huìhuà
会话 Conversations

1.....

大卫： **对不起，让你久等了。**
Dàwèi： Duìbuqǐ， ràng nǐ jiǔ děng le.

玛丽： **我们 约 好八点，你怎么八点半才来?**
Mǎlì： Wǒmen yuē hǎo bā diǎn, nǐ zěnme bā diǎn bàn cái lái?

大卫： **真 抱歉，我来晚了。半路上 我的**
Dàwèi： Zhēn bàoqiàn, wǒ lái wǎn le. Bàn lù shang wǒ de

自行车 坏了。
zìxíngchē huài le.

玛丽： **修 好了吗?**
Mǎlì： Xiū hǎo le ma?

大卫： **修 好了。**
Dàwèi： Xiū hǎo le.

玛丽： **我想 你可能 不来了。**
Mǎlì： Wǒ xiǎng nǐ kěnéng bù lái le.

大卫： **说 好的，我 怎么能 不来呢?**
Dàwèi： Shuō hǎo de, wǒ zěnme néng bù lái ne?

玛丽： **我们 快进 电影院 去吧。**
Mǎlì： Wǒmen kuài jìn diànyǐngyuàn qu ba.

大卫： **好。**
Dàwèi： Hǎo.

2......

玛丽： 刘京，还你词典，用的时间太长了，
Mǎlì： Liú Jīng, huán nǐ cídiǎn, yòng de shíjiān tài cháng le,

请 原谅！
qǐng yuánliàng!

刘京： 没关系，你用吧。
Liú Jīng： Méi guānxi, nǐ yòng ba.

玛丽： 谢谢，不用了。星期日我买到一本新小说。
Mǎlì： Xièxie, bú yòng le. Xīngqīrì wǒ mǎi dào yì běn xīn xiǎoshuō.

刘京： 英文的还是中文的？
Liú Jīng： Yīngwén de háishi Zhōngwén de?

玛丽： 英文的。很有意思。
Mǎlì： Yīngwén de. Hěn yǒu yìsi.

刘京： 我能看懂吗？
Liú Jīng： Wǒ néng kàn dǒng ma?

玛丽： 你英文学得不错，我想能看懂。
Mǎlì： Nǐ Yīngwén xué de búcuò, wǒ xiǎng néng kàn dǒng.

刘京： 那借我看看，行吗？
Liú Jīng： Nà jiè wǒ kànkan, xíng ma?

玛丽： 当然可以。
Mǎlì： Dāngrán kěyǐ.

3

Tìhuàn yǔ Kuòzhǎn
替换与扩展 Substitution and Extension

替换 Tìhuàn

1. 我们快<u>进</u>电影院去吧。
   Wǒmen kuài <u>jìn diànyǐngyuàn</u> qu ba.

进电梯 jìn diàntī	进食堂 jìn shítáng	回学校 huí xuéxiào
上楼 shàng lóu	回家 huí jiā	下楼 xià lóu

2. 借我<u>看看</u>这<u>本</u><u>小说</u>,
   Jiè wǒ <u>kànkan</u> zhè <u>běn</u> <u>xiǎoshuō</u>,

   行吗?
   xíng ma?

骑 qí	辆 liàng	自行车 zìxíngchē
用 yòng	个 gè	照相机 zhàoxiàngjī
用 yòng	支 zhī	笔 bǐ

扩展 Kuòzhǎn

1. 那个 随身听 我 弄 坏 了。
   Nàge suíshēntīng wǒ nòng huài le.

2. A: 对不起,弄 脏 你 的 本子 了。
   Duìbuqǐ, nòng zāng nǐ de běnzi le.

   B: 没 什么。
   Méi shénme.

4

Shēngcí
生词 New Words

1	对不起	V.	duìbuqǐ	I am sorry
2	让	V., Prep.	ràng	to let
3	久	Adj.	jiǔ	long
4	才	Adv.	cái	just
5	抱歉	Adj.	bàoqiàn	sorry
6	坏	Adj.	huài	bad, broken
7	修	V.	xiū	to fix, to repair
8	电影院	N.	diànyǐngyuàn	cinema
9	小说	N.	xiǎoshuō	novel
10	约	V.	yuē	to arrange
11	可能	M.V., Adj., N.	kěnéng	may, can; possible; possibility
12	还	V.	huán	to return
13	用	V.	yòng	to use
14	原谅	V.	yuánliàng	to apologize
15	没关系		méi guānxi	It doesn't matter.
16	英文	N.	Yīngwén	English
17	借	V.	jiè	to borrow
18	电梯	N.	diàntī	elevator
19	支	M.W.	zhī	(measure word for long, thin, inflexible objects)
20	随身听	N.	suíshēntīng	walkman
21	弄	V.	nòng	to play with, to ruin
22	脏	Adj.	zāng	dirty

5

1. 形容词"好"作结果补语 Xíngróngcí "hǎo" zuò jiéguǒ bǔyǔ
The adjective "好" as a complement of result

❶ 表示动作完成或达到完善的地步。例如：

Biǎoshì dòngzuò wánchéng huò dádào wánshàn de dìbù. Lìrú:

It indicates the completion or accomplishment of an action, e.g.

（1）饭已经(yǐjīng, already)做好了。

　　　Fàn yǐjīng zuò hǎo le.

（2）我一定要学好中文。

　　　Wǒ yídìng yào xué hǎo Zhōngwén.

❷ "好"作结果补语，有时也表示"定"的意思。例如：

"Hǎo" zuò jiéguǒ bǔyǔ, yǒushí yě biǎoshì "dìng" de yìsi. Lìrú:

"好 hǎo" as a complement of result occasionally means "定 dìng," e.g.

（3）我们说好了八点去。

　　　Wǒmen shuō hǎo le bā diǎn qù.

（4）时间约好了。

　　　Shíjiān yuē hǎo le.

2. 副词"就"、"才" Fùcí "jiù"、"cái"　The adverbs "就" and "才"

副词"就"、"才"有时可以表示时间的早、晚、快、慢等。"就"一般表示事情发生得早、快或进行得顺利；"才"相反，一般表示事情发生得晚、慢或进行得不顺利。例如：

Fùcí "jiù"、"cái" yǒushí kěyǐ biǎoshì shíjiān de zǎo、wǎn、kuài、màn děng. "Jiù" yìbān biǎoshì shìqing fāshēng de zǎo、kuài huò jìnxíng de shùnlì; "Cái" xiāngfǎn, yìbān biǎoshì shìqing fāshēng de wǎn、màn huò jìnxíng de bú shùnlì. Lìrú:

The adverbs "就 jiù" and "才 cái" are sometimes used to express such concepts as "early," "late," "quick" and "slow." "就" normally indicates that an action has been completed earlier and sooner than expected or without a hitch, while "才" indicates the opposite, e.g.

（1）八点上课，他七点半就来了。(早)

　　　Bā diǎn shàng kè, tā qī diǎn bàn jiù lái le. (zǎo)

八点上课,他八点十分才来。(晚)
Bā diǎn shàng kè, tā bā diǎn shí fēn cái lái. (wǎn)

（2）昨天我去北京饭店，八点坐车，八点半就到了。(早)
Zuótiān wǒ qù Běijīng Fàndiàn, bā diǎn zuò chē, bā diǎn bàn jiù dào le. (zǎo)

今天我去北京饭店，八点坐车，九点才到。(晚)
Jīntiān wǒ qù Běijīng Fàndiàn, bā diǎn zuò chē, jiǔ diǎn cái dào. (wǎn)

3.趋向补语 Qūxiàng bǔyǔ（2） The directional complement（2）

❶ 如果动词后有趋向补语，又有表示处所的宾语，处所宾语一定要放在动词和补语之间。例如：

Rúguǒ dòngcí hòu yǒu qūxiàng bǔyǔ, yòu yǒu biǎoshì chùsuǒ de bīnyǔ, chùsuǒ bīnyǔ yídìng yào fàng zài dòngcí hé bǔyǔ zhījiān. Lìrú:

If the verb is followed by both a directional complement and locative object, the object should be put between the verb and the complement, e.g.

（1）你快下楼来吧。
Nǐ kuài xià lóu lai ba.

（2）上课了，老师进教室来了。
Shàng kè le, lǎoshī jìn jiàoshì lai le.

（3）他到上海去了。
Tā dào Shànghǎi qu le.

（4）他回宿舍去了。
Tā huí sùshè qu le.

❷ 如果是一般宾语(不表示处所)，可放在动词和补语之间，也可放在补语之后。一般来说，动作未实现的在"来(去)"之前，已实现的在"来(去)"之后。例如：

Rúguǒ shì yìbān bīnyǔ (bù biǎoshì chùsuǒ), kě fàng zài dòngcí hé bǔyǔ zhījiān, yě kě fàng zài bǔyǔ zhīhòu. Yìbān lái shuō, dòngzuò wèi shíxiàn de zài "lái(qù)" zhīqián, yǐ shíxiàn de zài "lái(qù)" zhīhòu. Lìrú:

An ordinary object (not indicating a place) may be put either between the verb and the complement, or after the complement. As a rule, if the action is not accomplished, the object is put before "来(去) lái(qù)"; if the action is finished, however, the object is put after "来(去)," e.g.

（5）我想带照相机去。
Wǒ xiǎng dài zhàoxiàngjī qu.

（6）他没买苹果来。
Tā méi mǎi píngguǒ lai.

（7）我带去了一个照相机。
Wǒ dài qu le yí ge zhàoxiàngjī.

（8）他买来了一斤苹果。
Tā mǎi lai le yì jīn píngguǒ.

6

Liànxí
练习 Exercises

1 为下面的对话填上适当的结果补语并朗读

Wèi xiàmian de duìhuà tián shàng shìdàng de jiéguǒ bǔyǔ bìng lǎngdú

Supply the missing complements of result for the following dialogue and then read it aloud.

A: 小王，你的自行车修＿＿＿＿了吗？

B: 还没修＿＿＿＿呢。你要用吗？

A: 是。我想借一辆自行车，还没借＿＿＿＿。

B: 小刘有一辆，你去问问他。

A: 问过了，他的自行车也弄＿＿＿＿了。

B: 真不巧。

A: Xiǎo Wáng, nǐ de zìxíngchē xiū＿＿＿＿le ma?

B: Hái méi xiū＿＿＿＿ne. Nǐ yào yòng ma?

A: Shì. Wǒ xiǎng jiè yí liàng zìxíngchē, hái méi jiè＿＿＿＿.

B: Xiǎo Liú yǒu yí liàng, nǐ qù wènwen tā.

A: Wènguo le, tā de zìxíngchē yě nòng＿＿＿＿le.

B: Zhēn bù qiǎo.

2 看图用动词加"来"或"去"完成对话

Kàn tú yòng dòngcí jiā "lái" huò "qù" wánchéng duìhuà

Look at the pictures and talk about them (using verbs plus "来" or "去").

（1）A：小刘，你快_____吧，我在楼下等你。

　　B：现在我就_____。

　　A：Xiǎo Liú，nǐ kuài_____ba，wǒ zài lóu xià děng nǐ.

　　B：Xiànzài wǒ jiù_____.

（2）A：八点了，你怎么还不_____？

　　B：今天星期天，我想晚一点儿_____。

　　A：Bā diǎn le，nǐ zěnme hái bù_____?

　　B：Jīntiān xīngqītiān，wǒ xiǎng wǎn yìdiǎnr_____.

（3）A：小王在吗？

　　B：他不在。他_____家_____了。

　　A：他什么时候_____家_____的？

　　B：不知道。

　　A：Xiǎo Wáng zài ma?

　　B：Tā bú zài. Tā_____jiā_____le.

　　A：Tā shénme shíhou_____jiā_____de?

　　B：Bù zhīdào.

（4）A：外边太冷，我们_____里边

_____吧。

B：刚_____，一会儿再_____

吧。

A：Wàibian tài lěng, wǒmen____

_____lǐbian_____ba.

B：Gāng_____, yíhuìr zài___

_____ba.

③ 完成对话 Wánchéng duìhuà　Complete the following conversations.

（1）A：_____, 我来晚了。

B：上课十分钟了，为什么来晚了？

A：_____。

B：以后早点儿起床。请坐！

A：_____。

A：_____, wǒ lái wǎn le.

B：Shàng kè shí fēnzhōng le, wèishénme lái wǎn le?

A：_____.

B：Yǐhòu zǎo diǎnr qǐ chuáng. Qǐng zuò!

A：_____.

（2）A：请借我用一下儿你的词典。

B：_____。

A：他什么时候能还你？

B：_____, 我去问问他。

A：不用了，我去借小王的吧。

B：_____。

A：Qǐng jiè wǒ yòng yíxiàr nǐ de cídiǎn.

B：_____.

A：Tā shénme shíhou néng huán nǐ?

B：_____，wǒ qù wènwen tā.

A：Búyòng le, wǒ qù jiè Xiǎo Wáng de ba.

B：_____.

4 会话 Huìhuà　Conversational drills

（1）你借了同学的自行车，还车的时候你说你骑坏了自行车，表示道歉。

Nǐ jièle tóngxué de zìxíngchē, huán chē de shíhou nǐ shuō nǐ qí huài le zìxíngchē, biǎoshì dào qiàn.

You have borrowed a bicycle from one of your classmates. You make an apology to him (or her) for having broken it when you return it to him (or her).

（2）你的朋友要借你的照相机用用，你说别人借去了。

Nǐ de péngyou yào jiè nǐ de zhàoxiàngjī yòngyong, nǐ shuō biéren jiè qu le.

Your friend wants to borrow your camera. You tell him (or her) that you have lent it to somebody.

5 听述 Tīng shù　Listen and retell.

我和小王约好今天晚上去舞厅（wǔtīng, ballroom）跳舞。下午我们两个人先去友谊商店买东西。从友谊商店出来以后，我去看一个朋友，小王去王府井。我在朋友家吃晚饭。六点半我才从朋友家出来。到舞厅门口的时候，七点多了，小王正在那里等我。我说："来得太晚了，真抱歉，请原谅。"他说："没关系。"我们就一起进舞厅去了。

Wǒ hé Xiǎo Wáng yuē hǎo jīntiān wǎnshang qù wǔtīng tiào wǔ. Xiàwǔ wǒmen liǎng ge rén xiān qù Yǒuyì Shāngdiàn mǎi dōngxi. Cóng Yǒuyì Shāngdiàn chūlai yǐhòu, wǒ qù kàn yí ge péngyou, Xiǎo Wáng qù Wángfǔjǐng. Wǒ zài péngyou jiā chī wǎnfàn. Liù diǎn bàn wǒ cái cóng péngyou jiā chūlai. Dào wǔtīng ménkǒu de shíhou, qī diǎn duō le, Xiǎo Wáng zhèngzài nàlǐ děng wǒ. Wǒ shuō："Lái de tài wǎn le, zhēn bàoqiàn, qǐng yuánliàng." Tā shuō："Méi guānxi." Wǒmen jiù yìqǐ jìn wǔtīng qu le.

6 语音练习 Yǔyīn liànxí   Phonetic drills

（1）常用音节练习 Chángyòng yīnjié liànxí   Drill on the frequently used syllables

	liúxuéshēng	留学生		dōngtiān	冬天
sheng	Shèngdàn Jié	圣诞节	dong	dǒng shì	懂事
	xuésheng	学生		huódòng	活动

（2）朗读会话 Lǎngdú huìhuà   Read aloud the conversation.

A：Māma，xiànzài wǒ chūqu kàn péngyou.

B：Shénme shíhou huílai?

A：Dàgài wǎnshang shí diǎn duō.

B：Tài wǎn le.

A：Wǒmen yǒu diǎnr shì，nín bié děng wǒ，nín xiān shuì.

B：Hǎo ba，bié tài wǎn le.

Zhēn yíhàn，wǒ méi jiàn dào tā

真遗憾，我没见到他

IT IS REALLY A PITY THAT I HAVEN'T SEEN HIM

Jùzi
句子 Sentences

165　地上　怎么　乱七八糟　的？
　　　Dìshang zěnme　luànqībāzāo de?

Why does the floor look so messy?

166　是不是你出差没关
　　　Shì bu shì nǐ chū chāi méi guān

Did you forget to close the windows before going on a business trip?

　　　窗户？
　　　chuānghu?

167　忘　关　窗户了。
　　　Wàng guān chuānghu le.

I forgot to close the window.

168　花瓶　也　摔　碎了。
　　　Huāpíng yě shuāi suì le.

The vase is also broken.

169　太可惜了。
　　　Tài kěxī le.

What a pity!

170　公司　有急事，让他马上
　　　Gōngsī yǒu jí shì，ràng tā mǎshàng

Tell him to return from abroad immediately, because there is something urgent in the company.

　　　回国。
　　　huí guó.

171 他 让 我 告诉 你，多 跟
Tā ràng wǒ gàosu nǐ, duō gēn

他 联系。
tā liánxì.

He asked me to tell you to keep in touch with him.

172 真 遗憾，我 没 见 到 他。
Zhēn yíhàn, wǒ méi jiàn dào tā.

It is really a pity that I haven't seen him.

Huìhuà
会话 Conversations

尼娜： 我 两天 不 在， 地上 怎么 乱七八糟 的？
Nínà: Wǒ liǎng tiān bú zài, dìshang zěnme luànqībāzāo de?

丽英： 是 不 是 你 出 差 没 关 窗户？ 昨天 的
Lìyīng: Shì bu shì nǐ chū chāi méi guān chuānghu? Zuótiān de

风 很 大。
fēng hěn dà.

尼娜： 哎呀，忘 关 了，真 糟糕！
Nínà: Āiyā, wàng guān le, zhēn zāogāo!

丽英： 以后 出 门 一定 要 关 好 窗户。
Lìyīng: Yǐhòu chū mén yídìng yào guān hǎo chuānghu.

尼娜： 你 看，花瓶 也 摔 碎 了。
Nínà: Nǐ kàn, huāpíng yě shuāi suì le.

丽英: 是 大卫 送 给 你 的 那个 吗?
Lìyīng: Shì Dàwèi sòng gěi nǐ de nàge ma?

尼娜: 是，那 是 他 给 我 的 生日 礼物。
Nínà: Shì, nà shì tā gěi wǒ de shēngrì lǐwù.

丽英: 太 可惜 了。
Lìyīng: Tài kěxī le.

2.....

刘京: 昨天 李 成日 回国 了。
Liú Jīng: Zuótiān Lǐ Chéngrì huí guó le.

和子: 我 怎么 不 知道?
Hézǐ: Wǒ zěnme bù zhīdào?

刘京: 公司 有 急 事，让 他 马上 回 国。
Liú Jīng: Gōngsī yǒu jí shì, ràng tā mǎshàng huí guó.

和子: 真 不 巧，我 还 有 事 找 他 呢。
Hézǐ: Zhēn bù qiǎo, wǒ hái yǒu shì zhǎo tā ne.

刘京: 昨天 我 和 他 都 给 你 打 电话 了，你 不 在。
Liú Jīng: Zuótiān wǒ hé tā dōu gěi nǐ dǎ diànhuà le, nǐ bú zài.

和子: 我 在 张 老师 那儿。
Hézǐ: Wǒ zài Zhāng lǎoshī nàr.

刘京: 他 让 我 告诉 你，多 跟 他 联系。
Liú Jīng: Tā ràng wǒ gàosu nǐ, duō gēn tā liánxì.

和子: 真 遗憾，我 没 见 到 他。
Hézǐ: Zhēn yíhàn, wǒ méi jiàn dào tā.

3 *Tìhuàn yǔ Kuòzhǎn*
替换与扩展 Substitution and Extension

▶ **替换 Tìhuàn**

1. 公司让他马上回国。
   Gōngsī ràng tā mǎshàng huí guó.

经理	出差
jīnglǐ	chū chāi
老师	翻译生词
lǎoshī	fānyì shēngcí
玛丽	关窗户
Mǎlì	guān chuānghu

2. 他让我告诉你，
   Tā ràng wǒ gàosu nǐ,

   多跟他联系。
   duō gēn tā liánxì.

马上去开会	常给他写信
mǎshàng qù kāi huì	cháng gěi tā xiě xìn
明天见面	他回国了
míngtiān jiàn miàn	tā huí guó le
常给他发电子邮件	
cháng gěi tā fā diànzǐ yóujiàn	

▶ **扩展 Kuòzhǎn**

1. 王　先生　去　上海　出　差　了，是不是？
   Wáng xiānsheng qù Shànghǎi chū chāi le,　shì bu shì?

2. 我家的花儿都开了，有红的、黄的、
   Wǒ jiā de huār dōu kāi le, yǒu hóng de、huáng de、

   白的，漂亮　极了。
   bái de, piàoliang jí le.

4

Shēngcí
生词 New Words

1	遗憾	Adj.	yíhàn	sorry
2	见	V.	jiàn	to see
3	地	N.	dì	floor, ground
4	乱七八糟	Adj.	luànqībāzāo	in a mess
5	出差		chū chāi	be on a business trip
6	关	V.	guān	to close
7	窗户	N.	chuānghu	window
8	忘	V.	wàng	to forget
9	花瓶	N.	huāpíng	vase
10	摔	V.	shuāi	to throw
11	碎	Adj.	suì	broken
12	可惜	Adj.	kěxī	pity
13	急	Adj.	jí	urgent
14	马上	Adv.	mǎshàng	at once, immediately
15	联系	V., N.	liánxì	to contact; contact
16	风	N.	fēng	wind
17	糟糕	Adj.	zāogāo	bad, terrible
18	出门		chū mén	go out
19	礼物	N.	lǐwù	present

真遗憾，我没见到他

20	红	Adj.	hóng	red
21	黄	Adj.	huáng	yellow
22	白	Adj.	bái	white

Zhuānmíng
专名 Proper Name

尼娜   Nínà   Nina (name of a person)

5   Yǔfǎ
语法 Grammar

1. 用动词"让"的兼语句 Yòng dòngcí "ràng" de jiānyǔ jù
The pivotal sentence with the verb "让"

跟用"请"的兼语句句式一样，动词"让"构成的兼语句也有要求别人做某事的意思。只是用"请"的兼语句用于比较客气的场合。例如：

Gēn yòng "qǐng" de jiānyǔ jù jùshì yíyàng, dòngcí "ràng" gòuchéng de jiānyǔ jù yě yǒu yāoqiú biéren zuò mǒu shì de yìsi. Zhǐshì yòng "qǐng" de jiānyǔ jù yòngyú bǐjiào kèqi de chǎnghé. Lìrú:

Like a pivotal sentence with the verb "请 qǐng," a pivotal sentence with the verb "让 ràng" also has the meaning of asking somebody to do something. The only difference is that the former is used in a more polite situation, e.g.

（1）他让我带东西。
Tā ràng wǒ dài dōngxi.

（2）公司让他回国。
Gōngsī ràng tā huí guó.

（3）我让他给我照张相。
Wǒ ràng tā gěi wǒ zhào zhāng xiàng.

（4）他让我告诉你，明天去他家。
Tā ràng wǒ gàosu nǐ, míngtiān qù tā jiā.

2. "是不是" 构成的正反疑问句

"Shì bu shì" gòuchéng de zhèngfǎn yíwènjù

The affirmative-negative question with "是不是"

对某一事实或情况已有估计，为了进一步证实，就用"是不是"构成的疑问句提问。"是不是"可以在谓语前，也可在句首或句尾。例如：

Duì mǒu yí shìshí huò qíngkuàng yǐ yǒu gūjì, wèile jìnyíbù zhèngshí, jiù yòng "shì bu shì" gòuchéng de yíwènjù tíwèn. "Shì bu shì" kěyǐ zài wèiyǔ qián, yě kě zài jù shǒu huò jù wěi. Lìrú:

The affirmative-negative question with "是不是 shì bu shì" is used to confirm what the speaker already believes. "是不是" can be placed before the predicate or at the beginning of the sentence or at the end, e.g.

(1) 是不是你的照相机坏了？
Shì bu shì nǐ de zhàoxiàngjī huài le?

(2) 李成日先生是不是回国了？
Lǐ Chéngrì xiānsheng shì bu shì huí guó le?

(3) 这个电影都看过了，是不是？
Zhège diànyǐng dōu kànguo le, shì bu shì?

6

Liànxí
练习 Exercises

1 熟读下列短语并选择造句 Shú dú xiàliè duǎnyǔ bìng xuǎnzé zào jù
Read the following phrases until fluent and make sentences with some of them.

真
zhēn

可惜 kěxī
遗憾 yíhàn
糟糕 zāogāo
不好意思 bù hǎoyìsi

让
ràng

我还书 wǒ huán shū
小王修自行车 Xiǎo Wáng xiū zìxíngchē
我们写汉字 wǒmen xiě Hànzì
他们听音乐 tāmen tīng yīnyuè

2 完成对话（用上表示遗憾的词语）

Wánchéng duìhuà (yòng shàng biǎoshì yíhàn de cíyǔ)

Complete the conversations (using words expressing regret).

（1）A：听说你的手机坏了。

    B：是啊，上个月刚买的。

    A：＿＿＿＿＿＿＿＿＿。

    A：Tīngshuō nǐ de shǒujī huài le.

    B：Shì a, shàng ge yuè gāng mǎi de.

    A：＿＿＿＿＿＿＿＿＿.

（2）A：昨天晚上的杂技好极了，你怎么没去看？

    B：我有急事，＿＿＿＿＿＿＿＿。

    A：听说这个星期六还演呢。

    B：那我一定去看。

    A：Zuótiān wǎnshang de zájì hǎo jí le, nǐ zěnme méi qù kàn?

    B：Wǒ yǒu jí shì, ＿＿＿＿＿＿＿.

    A：Tīngshuō zhège xīngqīliù hái yǎn ne.

    B：Nà wǒ yídìng qù kàn.

3 按照实际情况回答下列问题 Ànzhào shíjì qíngkuàng huídá xiàliè wèntí

Answer the following questions according to actual situations.

（1）你汉语说得怎么样？

    Nǐ Hànyǔ shuō de zěnmeyàng?

（2）昨天的课你复习没复习？

    Zuótiān de kè nǐ fùxí méi fùxí?

（3）今天你出门的时候，关好窗户了没有？

    Jīntiān nǐ chū mén de shíhou, guān hǎo chuānghu le méiyǒu?

（4）你有没有遗憾的事？

    Nǐ yǒu méiyǒu yíhàn de shì?

4 把下面对话中 B 的话改成"是不是"的问句

Bǎ xiàmian duìhuà zhōng B de huà gǎi chéng "shì bu shì" de wènjù

Change the sentences of Part B of the conversation into questions with "是不是."

（1）A：今天我去找小王，他不在。

　　B：大概他回家了。

　　A：Jīntiān wǒ qù zhǎo Xiǎo Wáng，tā bú zài.

　　B：Dàgài tā huí jiā le.

（2）A：不知道为什么飞机晚点了。

　　B：我想可能是天气不好。

　　A：Bù zhīdào wèishénme fēijī wǎn diǎn le.

　　B：Wǒ xiǎng kěnéng shì tiānqì bù hǎo.

5 听述 Tīng shù　Listen and retell.

　　昨天星期日，早上张老师去买菜。中午他爱人要做几个菜，请朋友们在家吃饭。

　　很快，菜就买回来了。红的、绿(lǜ, green)的、白的、黄的……他爱人看了说："这菜又新鲜(xīnxiān, fresh)又好看。"张老师说："好吃不好吃，就看你做得怎么样了！"他爱人说："让你买的肉(ròu, meat)呢？没有肉我怎么做呀？"张老师说："糟糕，我买的肉没拿，交了钱我就走了。"他爱人说："那你就去找找吧。今天的菜好吃不好吃，就看你了！"

　　Zuótiān xīngqīrì, zǎoshang Zhāng lǎoshī qù mǎi cài. Zhōngwǔ tā àiren yào zuò jǐ ge cài, qǐng péngyoumen zài jiā chī fàn.

　　Hěn kuài, cài jiù mǎi huilai le. Hóng de、lǜ de、bái de、huáng de…Tā àiren kànle shuō:"Zhè cài yòu xīnxiān yòu hǎokàn." Zhāng lǎoshī shuō:"Hǎochī bù hǎochī jiù kàn nǐ zuò de zěnmeyàng le! " Tā àiren shuō: "Ràng nǐ mǎi de ròu ne? Méiyǒu ròu wǒ zěnme zuò ya?" Zhāng lǎoshī shuō:"Zāogāo, wǒ mǎi de ròu méi ná, jiāole qián wǒ jiù zǒu le." Tā àiren shuō: "Nà nǐ jiù qù zhǎozhao ba. Jīntiān de cài hǎochī bù hǎochī jiù kàn nǐ le! "

6 语音练习 Yǔyīn liànxí   Phonetic drills

（1）常用音节练习 Chángyòng yīnjié liànxí   Drill on the frequently used syllables

zai	zāizhòng	栽种
	jìzǎi	记载
	xiànzài	现在

ni	nílóng	尼龙
	nǐ hǎo	你好
	yóunì	油腻

（2）朗读会话 Lǎngdú huìhuà   Read aloud the conversation.

A：Nǐ de xīn zìxíngchē zhēn piàoliang.

B：Kěshì huài le.

A：Zhēn kěxī，néng xiū hǎo ma?

B：Bù zhīdào.

A：Xiūxiu ba，kàn zěnmeyàng.

B：Hǎo.

称赞
chēngzàn

GIVING
COMPLIMENTS

Zhè zhāng huàr zhēn měi
这张画儿真美
THIS PICTURE IS REALLY BEAUTIFUL

Jùzi
句子 Sentences

173 你 的 房间 布置 得 好极了。   Your room is beautifully decorated.
Nǐ de fángjiān bùzhì de hǎo jí le.

174 这 张 画儿 真 美!   This picture is really beautiful!
Zhè zhāng huàr zhēn měi!

175 你 的 房间 又 干净 又   Your room is clean and beautiful.
Nǐ de fángjiān yòu gānjìng yòu

漂亮。
piàoliang.

176 今天 没有 人 来。   Nobody will come today.
Jīntiān méiyǒu rén lái.

177 你 的 衣服 更 漂亮!   Your dress is even prettier!
Nǐ de yīfu gèng piàoliang!

178 这 件 衣服 不 是 买 的，   This dress was not bought but made
Zhè jiàn yīfu bú shì mǎi de,   by my mother.

是 我 妈妈 做 的。
shì wǒ māma zuò de.

179 你 妈妈 的 手 真 巧。
Nǐ māma de shǒu zhēn qiǎo.

Your mother is really deft with her hands.

180 要是 你喜欢，就给你
Yàoshi nǐ xǐhuan, jiù gěi nǐ

女 朋友 做 一件。
nǚ péngyou zuò yí jiàn.

If you like the dress, why don't you have one made for your girlfriend?

2

Huìhuà
会话 Conversations

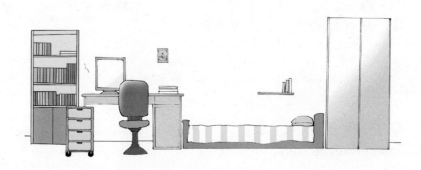

王兰： 你 的 房间 布置 得 好 极 了。
Wáng Lán： Nǐ de fángjiān bùzhì de hǎo jí le.

玛丽： 哪儿 啊， 马马虎虎。
Mǎlì： Nǎr a, mǎmǎ hūhū.

王兰： 桌子 放 在 这儿，写 字看 书 都 很 好。
Wáng Lán： Zhuōzi fàng zài zhèr, xiě zì kàn shū dōu hěn hǎo.

玛丽: 你 看，衣柜 放在 床 旁边， 怎么样?
Mǎlì: Nǐ kàn, yīguì fàng zài chuáng pángbiān, zěnmeyàng?

王兰: 很 好。拿 东西 很 方便。 这张 画儿 真 美!
Wáng Lán: Hěn hǎo. Ná dōngxi hěn fāngbiàn. Zhè zhāng huàr zhēn měi!

玛丽: 是吗? 刚 买 的。
Mǎlì: Shì ma? Gāng mǎi de.

王兰: 你 的 房间 又 干净 又 漂亮。 今天 谁 来 啊?
Wáng Lán: Nǐ de fángjiān yòu gānjìng yòu piàoliang. Jīntiān shuí lái a?

玛丽: 没有 人 来。新 年 快 到 了。
Mǎlì: Méiyǒu rén lái. Xīnnián kuài dào le.

王兰: 啊! 明天 晚上 有 舞会。
Wáng Lán: À! Míngtiān wǎnshang yǒu wǔhuì.

玛丽: 真 的? 那 明天 晚上 我们 都 去 跳 舞 吧。
Mǎlì: Zhēn de? Nà míngtiān wǎnshang wǒmen dōu qù tiào wǔ ba.

2......

王兰: 你 今天 穿 得 真 漂亮!
Wáng Lán: Nǐ jīntiān chuān de zhēn piàoliang!

玛丽: 是 吗? 过 新年 了 嘛①。你 的 衣服 更 漂亮，
Mǎlì: Shì ma? Guò xīnnián le ma. Nǐ de yīfu gèng piàoliang,

在 哪儿 买 的？
zài nǎr mǎi de?

王兰：
Wáng Lán:
不 是 买 的，是 我 妈妈 做 的。
Bú shì mǎi de, shì wǒ māma zuò de.

玛丽：
Mǎlì:
你 妈妈 的 手 真 巧，衣服 的 样子 也 很 好。
Nǐ māma de shǒu zhēn qiǎo, yīfu de yàngzi yě hěn hǎo.

王兰：
Wáng Lán:
我 也 觉得 不错。
Wǒ yě juéde búcuò.

刘京：
Liú Jīng:
我 很 喜欢 这个 颜色。
Wǒ hěn xǐhuan zhège yánsè.

玛丽：
Mǎlì:
要是 你 喜欢，就 给 你 女 朋友 做 一 件。
Yàoshi nǐ xǐhuan, jiù gěi nǐ nǚ péngyou zuò yí jiàn.

刘京：
Liú Jīng:
我 还 没有 女 朋友 呢。
Wǒ hái méiyǒu nǚ péngyou ne.

Zhùshì

注释：Notes

① "过新年了嘛。" "Guò xīnnián le ma." It is the New Year.

语气助词 "嘛" 表示一种 "道理显而易见"、"理应如此" 的语气。

Yǔqì zhùcí "ma" biǎoshì yì zhǒng "dàoli xiǎn ér yì jiàn"、"lǐ yīng rúcí" de yǔqì.

The modal particle "嘛 ma" has the connotation of "for the obvious reason" or "it goes without saying."

3

Tìhuàn yǔ Kuòzhǎn

替换与扩展 Substitution and Extension

替换 Tìhuàn

1. 你的 房间 又 干净 又 漂亮。
   Nǐ de fángjiān yòu gānjìng yòu piàoliang.

英文书		容易		有意思	
Yīngwén shū		róngyì		yǒu yìsi	
纪念邮票		多		好看	
jìniàn yóupiào		duō		hǎokàn	

2. 这件 衣服 不是买的，是 我妈妈 做 的。
   Zhè jiàn yīfu bú shì mǎi de, shì wǒ māma zuò de.

个	菜	我自己	做
gè	cài	wǒ zìjǐ	zuò
张	画儿	朋友	画
zhāng	huàr	péngyou	huà
辆	自行车	我哥哥	借
liàng	zìxíngchē	wǒ gēge	jiè

3. 我很喜欢这个 颜色。
   Wǒ hěn xǐhuan zhège yánsè.

个	孩子	些	花
gè	háizi	xiē	huā
张	照片	辆	汽车
zhāng	zhàopiàn	liàng	qìchē
支	铅笔	块	手表
zhī	qiānbǐ	kuài	shǒubiǎo

扩展 Kuòzhǎn

1. 要是 明天 天气 好，我们 就 去 公园
Yàoshi míngtiān tiānqì hǎo, wǒmen jiù qù gōngyuán

看 花展。
kàn huāzhǎn.

2. A: 今天 他们 两 个 怎么 穿 得 这么 漂亮？
Jīntiān tāmen liǎng ge zěnme chuān de zhème piàoliang?

B: 结 婚 嘛。
Jié hūn ma.

4 生词 New Words

1	布置	V.	bùzhì	to decorate
2	画儿	N.	huàr	painting, drawing
3	美	Adj.	měi	beautiful, pretty
4	又	Adv.	yòu	also
5	更	Adv.	gèng	more, even more
6	手	N.	shǒu	hand
7	要是	Conj.	yàoshi	if
8	马虎	Adj.	mǎhu	careless
9	桌子	N.	zhuōzi	table
10	放	V.	fàng	to put, to place

11	衣柜	N.	yīguì	wardrobe
12	方便	Adj.	fāngbiàn	convenient, easy
13	嘛	Part.	ma	(modal particle)
14	巧	Adj.	qiǎo	adroit
15	样子	N.	yàngzi	style, appearance
16	觉得	V.	juéde	to feel, to think
17	颜色	N.	yánsè	color
18	容易	Adj.	róngyì	easy
19	自己	Pron.	zìjǐ	oneself
20	画	V.	huà	to draw
21	些	M.W.	xiē	(measure word) some
22	铅笔	N.	qiānbǐ	pencil
23	这么	Pron.	zhème	like this, so
24	手表	N.	shǒubiǎo	watch

5

Yǔfǎ
语法 Grammar

1. "又……又……" "yòu…yòu…"
   The expression "又…又…"(both...and...)

表示两种情况或性质同时存在。例如：

Biǎoshì liǎng zhǒng qíngkuàng huò xìngzhì tóngshí cúnzài. Lìrú：

This structure expresses the co-existence of two circumstances or characteristics, e.g.

（1）你的房间又干净又漂亮。
　　　Nǐ de fángjiān yòu gānjìng yòu piàoliang.

（2）那儿的东西又便宜又好。
　　　Nàr de dōngxi yòu piányi yòu hǎo.

（3）他的汉字写得又好又快。
　　Tā de Hànzì xiě de yòu hǎo yòu kuài.

2. "要是……就……" "yàoshi…jiù…"
　　The expression "要是…就…" (if...then...)

"要是"表示假设，后一分句常用副词"就"来承接上文，得出结论。例如：

"Yàoshi" biǎoshì jiǎshè, hòu yì fēnjù cháng yòng fùcí "jiù" lái chéngjiē shàng wén, déchū jiélùn. Lìrú:

"要是 yàoshi" introduces a supposition, and the adverb "就 jiù," which links the text that precedes it, is often used to elicit a conclusion, e.g.

（1）你要是有《英汉词典》就带来。
　　Nǐ yàoshi yǒu 《Yīng-Hàn Cídiǎn》 jiù dài lai.

（2）要是明天不上课，我们就去北海公园。
　　Yàoshi míngtiān bú shàng kè, wǒmen jiù qù Běihǎi Gōngyuán.

（3）你要是有时间，就来我家玩儿。
　　Nǐ yàoshi yǒu shíjiān, jiù lái wǒ jiā wánr.

6　Liànxí
练习　Exercises

❶ 回答问题（用上所给的词语） Huídá wèntí (yòng shàng suǒ gěi de cíyǔ)
Answer the questions (using the given words).

（1）北海公园怎么样？（又……又……）
　　Běihǎi Gōngyuán zěnmeyàng? (yòu…yòu…)

（2）这个星期天你去公园玩儿吗？（要是……就……）
　　Zhège xīngqītiān nǐ qù gōngyuán wánr ma? (yàoshi…jiù…)

（3）你为什么喜欢这件衣服？（喜欢、颜色）
　　Nǐ wèishénme xǐhuan zhè jiàn yīfu? (xǐhuan、yánsè)

（4）这本词典是你买的吗？（不是……，是……）
　　Zhè běn cídiǎn shì nǐ mǎi de ma? (bú shì…, shì…)

2 完成句子(用上"很"、"真"、"极了"、"更"、"太……了")

Wánchéng jùzi (yòng shàng "hěn"、"zhēn"、"jí le"、"gèng"、"tài…le")

Complete the sentences (using "很,""真,""极了,""更" and "太…了").

(1) 这个句子＿＿＿＿＿＿＿＿，大家都会翻译。

Zhège jùzi＿＿＿＿＿＿＿＿，dàjiā dōu huì fānyì.

(2) 她很会做中国菜，她做的鱼＿＿＿＿＿＿＿。

Tā hěn huì zuò zhōngguócài, tā zuò de yú＿＿＿＿＿＿.

(3) 今天天气＿＿＿＿，听说明天天气＿＿＿＿。我们应该出去玩儿玩儿。

Jīntiān tiānqì＿＿＿＿＿, tīngshuō míngtiān tiānqì＿＿＿＿. Wǒmen yīnggāi chūqu wánrwanr.

(4) 你这张照片＿＿＿＿＿＿＿，人很漂亮，那些花儿也很美。

Nǐ zhè zhāng zhàopiàn＿＿＿＿＿＿, rén hěn piàoliang, nàxiē huār yě hěn měi.

3 用所给的词语完成句子 Yòng suǒ gěi de cíyǔ wánchéng jùzi

Complete the following sentences with the given words or expressions.

(1) 那个商店的东西＿＿＿＿＿＿＿＿＿。(又……又……)

Nàge shāngdiàn de dōngxi＿＿＿＿＿＿＿＿. (yòu…yòu…)

(2) 这种橘子＿＿＿＿＿＿＿。(又……又……)

Zhè zhǒng júzi＿＿＿＿＿＿＿. (yòu…yòu…)

(3) 要是我有钱，＿＿＿＿＿＿＿＿。(就)

Yàoshi wǒ yǒu qián,＿＿＿＿＿＿＿. (jiù)

(4) 要是明天天气不好，＿＿＿＿＿＿＿＿。(就)

Yàoshi míngtiān tiānqì bù hǎo,＿＿＿＿＿＿＿. (jiù)

4 完成对话 Wánchéng duìhuà Complete the following conversations.

(1) A：你看，这件毛衣怎么样？

B：＿＿＿＿＿＿＿＿＿，贵吗？

A：六十五块。

B：＿＿＿＿＿＿＿，还有吗？

A：怎么？你也想买吗？

B：是啊，＿＿＿＿＿＿＿＿。

A: Nǐ kàn, zhè jiàn máoyī zěnmeyàng?

B: _____, guì ma?

A: Liùshíwǔ kuài.

B: _____, hái yǒu ma?

A: Zěnme? Nǐ yě xiǎng mǎi ma?

B: Shì a, _____.

（2）A: 你的字写得真好！

B: _____，你写得好。

A: _____，我刚学。

A: Nǐ de zì xiě de zhēn hǎo!

B: _____, nǐ xiě de hǎo.

A: _____, wǒ gāng xué.

5 听述 Tīng shù Listen and retell.

　　玛丽的毛衣是新疆(Xīnjiāng, Xinjiang, an autonomous region)生产(shēng-chǎn, to produce)的，样子好看，颜色也漂亮。大卫说，新疆的水果(shuǐguǒ, fruit)和饭菜也好吃极了。玛丽听了很高兴。她约大卫今年七月去新疆。在新疆可以玩儿，可以吃很多好吃的东西。大卫让玛丽别吃得太多，要是吃得太多，回来以后，就不能穿那件毛衣了。

　　Mǎlì de máoyī shì Xīnjiāng shēngchǎn de, yàngzi hǎokàn, yánsè yě piàoliang. Dàwèi shuō, Xīnjiāng de shuǐguǒ hé fàncài yě hǎochī jí le. Mǎlì tīngle hěn gāoxìng. Tā yuē Dàwèi jīnnián qīyuè qù Xīnjiāng. Zài Xīnjiāng kěyǐ wánr, kěyǐ chī hěn duō hǎochī de dōngxi. Dàwèi ràng Mǎlì bié chī de tài duō, yàoshi chī de tài duō, huílai yǐhòu, jiù bù néng chuān nà jiàn máoyī le.

6 语音练习 Yǔyīn liànxí　Phonetic drills

（1）常用音节练习 Chángyòng yīnjié liànxí　Drill on the frequently used syllables

	xiāoxi	消息		kēxué	科学
xiao	xiǎoháir	小孩儿	ke	kěyǐ	可以
	xiào le	笑了		kèqi	客气

（2）朗读会话 Lǎngdú huìhuà　Read aloud the conversation.

A：Zhèxiē huār shì mǎi de ma?

B：Bú shì mǎi de, shì wǒ zuò de.

A：Nǐ de shǒu zhēn qiǎo.

B：Nǎr a, wǒ gāng xué.

A：Shì gēn Hézǐ xué de ma?

B：Bú shì, shì gēn yí ge Zhōngguó tóngxué xué de.

一、会话 Conversations
Huìhuà

A：刚才小林来找你，你不在。

B：我去朋友那儿了，刚回来。他有事吗？

A：他让我告诉你，下星期六他结婚，请你去吃喜酒（xǐjiǔ, wedding feast）。

B：真的吗？那我一定去。我还没参加过中国人的婚礼（hūnlǐ, wedding ceremony）呢。

A：下星期六我来找你，我们一起去。

B：好的。

A：Gāngcái Xiǎo Lín lái zhǎo nǐ, nǐ bú zài.

B：Wǒ qù péngyou nàr le, gāng huílai. Tā yǒu shì ma?

A：Tā ràng wǒ gàosu nǐ, xià xīngqīliù tā jié hūn, qǐng nǐ qù chī xǐjiǔ.

B：Zhēn de ma? Nà wǒ yídìng qù. Wǒ hái méi cānjiāguo Zhōngguó rén de hūnlǐ ne.

A：Xià xīngqīliù wǒ lái zhǎo nǐ, wǒmen yìqǐ qù.

B：Hǎo de.

A：你怎么了？病（bìng, sick）了吗？

B：是的。真遗憾，今天我不能去参加小林的婚礼了。

A：你就在宿舍休息吧，我一个人去。再见！

B：再见！

A：Nǐ zěnme le? Bìng le ma?

B：Shì de. Zhēn yíhàn, jīntiān wǒ bù néng qù cānjiā Xiǎo Lín de hūnlǐ le.

A：Nǐ jiù zài sùshè xiūxi ba, wǒ yí ge rén qù. Zàixiàn!

B：Zàijiàn!

3

A：可以进吗？

B：请进。

A：你看，谁来了？

B：啊，小林，对不起，那天我病了，没去参加你们的婚礼。

林：没关系。你的病好了吗？

B：好了。

林：今天我给你送喜糖 (xǐtáng, wedding sweets) 来了。

B：谢谢你！听说你爱人很漂亮。

A：她还会唱歌跳舞呢。那天唱得好听极了。他们还表演 (biǎoyǎn, to perform) 两个人吃一块糖。

林：你别听他的。

B：那是接吻 (jiē wěn, to kiss)？

A：是的，中国人不在别人面前 (miànqián, in front of) 接吻，这是结婚的时候，大家闹着玩儿 (nàozhe wánr, to do something for fun) 的。

A：Kěyǐ jìn ma?

B：Qǐng jìn.

A：Nǐ kàn, shuí lái le?

B：Ā, Xiǎo Lín, duìbuqǐ, nà tiān wǒ bìng le, méi qù cānjiā nǐmen de hūnlǐ.

Lín：Méi guānxi. Nǐ de bìng hǎo le ma?

B：Hǎo le.

Lín：Jīntiān wǒ gěi nǐ sòng xǐtáng lai le.

B：Xièxie nǐ! Tīngshuō nǐ àiren hěn piàoliang.

A：Tā hái huì chàng gē tiào wǔ ne. Nà tiān chàng de hǎotīng jí le. Tāmen hái biǎoyǎn liǎng ge rén chī yí kuài táng.

Lín：Nǐ bié tīng tā de.

B：Nà shì jiē wěn?

A：Shì de, Zhōngguó rén bú zài biéren miànqián jiē wěn, zhè shì jié hūn de shíhou, dàjiā nàozhe wánr de.

二、语法 Grammar

语气助词"了"与动态助词"了" Yǔqì zhùcí "le" yǔ dòngtài zhùcí "le"
The modal particle "了" and the aspect particle "了"

① 语气助词"了"在句尾，强调某事或某情况已经发生；动态助词"了"在动词后，强调这个动作已完成或肯定要完成。例如：

Yǔqì zhùcí "le" zài jù wěi, qiángdiào mǒu shì huò mǒu qíngkuàng yǐjīng fāshēng; Dòngtài zhùcí "le" zài dòngcí hòu, qiángdiào zhège dòngzuò yǐ wánchéng huò kěndìng yào wánchéng. Lìrú:

The modal particle "了 le" is put at the end of a sentence to emphasize that a thing or a situation has already occurred, whereas the aspect particle "了" is put after the verb to emphasize that the action is completed or is sure to be completed, e.g.

（1）A：昨天你去哪儿了？
　　　Zuótiān nǐ qù nǎr le?

　　　B：我去友谊商店了。
　　　　 Wǒ qù Yǒuyì Shāngdiàn le.

　　（肯定这件事已发生
　　　 Kěndìng zhè jiàn shì yǐ fāshēng

　　The thing has already occurred）

（2）A：你买了什么东西？
　　　Nǐ mǎile shénme dōngxi?

　　　B：我买了一件毛衣。
　　　　 Wǒ mǎile yí jiàn máoyī.

　　（"买"的动作已完成
　　　 "Mǎi" de dòngzuò yǐ wánchéng

　　The action is completed）

② 动词后有动态助词"了"，又有简单宾语时，宾语前一般要有数量词或其他定语，或者有比较复杂的状语，才能成句。例如：

Dòngcí hòu yǒu dòngtài zhùcí "le", yòu yǒu jiǎndān bīnyǔ shí, bīnyǔ qián yìbān yào yǒu shùliàngcí huò qítā dìngyǔ, huòzhě yǒu bǐjiào fùzá de zhuàngyǔ, cái néng chéng jù. Lìrú:

If the verb is followed by the aspect particle "了 le" and a simple object, a numeral measure word or some other attributive or a more complicated adverbial is normally used before the object to make the sentence complete, e.g.

（1）我买了一件毛衣。
　　 Wǒ mǎile yí jiàn máoyī.

（2）他做了很好吃的菜。
　　 Tā zuòle hěn hǎochī de cài.

（3）我很快转告了她。
　　 Wǒ hěn kuài zhuǎngàole tā.

❸ 不表示具体动作的动词"是"、"在"、"像"等和表示存在的"有"，一般不用动态助词"了"。

Bù biǎoshì jùtǐ dòngzuò de dòngcí "shì"、"zài"、"xiàng" děng hé biǎoshì cúnzài de "yǒu"，yìbān bú yòng dòngtài zhùcí "le".

Stative verbs such as "是 shì," "在 zài" and "像 xiàng" and the existential verb "有 yǒu" do no take the aspect particle "了 le."

❹ 不表示具体动作的动词谓语句，一般的动词谓语句否定式和形容词谓语句等等，句尾都可带"了"，表示变化。例如：

Bù biǎoshì jùtǐ dòngzuò de dòngcí wèiyǔ jù，yìbān de dòngcǐ wèiyǔ jù fǒudìngshì hé xíngróngcí wèiyǔ jù děngděng，jù wěi dōu kě dài "le"，biǎoshì biànhuà. Lìrú：

The sentence with a stative verbal predicate, the negative form of the sentence with a verbal predicate and the sentence with an adjectival predicate may all end with "了 le" to express that things have changed, e.g.

（1）现在是冬天(dōngtiān, winter)了。天气冷了。
　　　Xiànzài shì dōngtiān le. Tiānqì lěng le.

（2）他现在不是学生，是老师了。
　　　Tā xiànzài bú shì xuésheng, shì lǎoshī le.

（3）我不去玛丽那儿了。
　　　Wǒ bú qù Mǎlì nàr le.

Liànxí
三、练习 Exercises

❶ **按照实际情况回答下列问题** Ànzhào shíjì qíngkuàng huídá xiàliè wèntí
Answer the following questions according to actual situations.

（1）现在你正在做什么？昨天这个时候你在做什么？
　　　Xiànzài nǐ zhèngzài zuò shénme? Zuótiān zhège shíhou nǐ zài zuò shénme?

（2）到中国以后，你都去哪儿了？买了什么？
　　　Dào Zhōngguó yǐhòu, nǐ dōu qù nǎr le? Mǎile shénme?

（3）你说汉语说得怎么样？汉字会写不会写？
　　　Nǐ shuō Hànyǔ shuō de zěnmeyàng? Hànzì huì xiě bu huì xiě?

（4）你有没有觉得遗憾的事？请说一说。
　　　Nǐ yǒu méiyǒu juéde yíhàn de shì? Qǐng shuō yi shuō.

❷ 会话 Huìhuà　Conversational drills

（1）称赞 Praise：（衣服 / 吃的 / 房间）
Chēngzàn (yīfu / chī de / fángjiān)

多好（漂亮 / 美 / 好看）啊！　　　　哪儿啊！
Duō hǎo（piàoliang / měi / hǎokàn）a!　Nǎr a!

真好吃（干净……）！　　　　　　马马虎虎！
Zhēn hǎochī（gānjìng…）!　　　　Mǎmǎ hūhū!

……极了！　　　　　　　　　　是吗？
…jí le!　　　　　　　　　　　Shì ma?

又……又……
yòu…yòu…

（2）道歉 Apology：（来晚了 / 弄坏了东西 / 弄脏了东西）
Dàoqiàn (lái wǎn le / nòng huài le dōngxi / nòng zāng le dōngxi)

对不起　　　　　　　　　　没关系
duìbuqǐ　　　　　　　　　　méi guānxi

请原谅　　　　　　　　　　没什么
qǐng yuánliàng　　　　　　　méi shénme

真抱歉
zhēn bàoqiàn

（3）遗憾 Regret：（好的地方没去 / 喜欢的东西没买到）
Yíhàn (hǎo de dìfang méi qù / xǐhuan de dōngxi méi mǎi dào)

太可惜了　　　　　真不巧　　　　　真遗憾
tài kěxī le　　　　　zhēn bù qiǎo　　　zhēn yíhàn

❸ 完成对话 Wánchéng duìhuà　Complete the conversations.

（1）A：喂，玛丽吗？今天我请你吃晚饭。

　　B：真的吗？＿＿＿＿＿＿＿＿＿？

　　A：北京饭店。＿＿＿＿＿＿＿＿＿。

　　B：不用接我，七点我自己去。

A：Wèi, Mǎlì ma? Jīntiān wǒ qǐng nǐ chī wǎnfàn.

B：Zhēn de ma? _____?

A：Běijīng Fàndiàn. _____.

B：Búyòng jiē wǒ, qī diǎn wǒ zìjǐ qù.

（2）A：昨天的话剧好极了，你怎么没去看啊？

B：_____。_____！这个星期还演吗？

A：可能还演，你可以打电话问问。

A：Zuótiān de huàjù hǎo jí le, nǐ zěnme méi qù kàn a?

B：_____. _____! Zhège xīngqī hái yǎn ma?

A：Kěnéng hái yǎn, nǐ kěyǐ dǎ diànhuà wènwen.

④ **语音练习** Yǔyīn liànxí　Phonetic drills

（1）声调练习：第二声 + 第四声 Shēngdiào liànxí：dì-èr shēng + dì-sì shēng
Drill on tones: 2nd tone + 4th tone

yíhàn　　　遗憾

búyào yíhàn　　　不要遗憾

yídìng búyào yíhàn　　　一定不要遗憾

（2）朗读会话 Lǎngdú huìhuà　Read aloud the conversation.

A：Zhè jiàn máoyī zhēn piàoliang, wǒ hěn xǐhuan zhège yánsè.

B：Kěxī yǒudiǎnr duǎn.

A：Nǐ bāng wǒ kànkan, yǒu cháng diǎnr de ma?

B：Méiyǒu.

A：Zhēn yíhàn.

Yuèdú Duǎnwén
四、阅读短文 Reading Passage

　　我昨天晚上到北京。今天早上我对姐姐说："我出去玩儿玩儿。"姐姐说："你很累了，昨天晚上也没睡好觉，你今天在家休息，明天我带你去玩儿。"我在家觉得没意思，姐姐出去买东西的时候，我就一个人坐车出去了。

北京这个地方很大，我第一次来，也不认识路。汽车开到一个公园前边，我就下了车，进了那个公园。

公园的花儿开得漂亮极了。玩儿了一会儿，我觉得累了，就坐在长椅 (chángyǐ, bench) 上休息。

"喂，要关门 (guān mén, to close the door) 了，快回去吧！"一个公园里的人叫我。哎呀，刚才我睡着 (shuì zháo, to fall asleep) 了。现在已经很晚了，我想姐姐一定在找我呢，得 (děi, to have to) 快回家了。

Wǒ zuótiān wǎnshang dào Běijīng. Jīntiān zǎoshang wǒ duì jiějie shuō: "Wǒ chūqu wánrwanr." Jiějie shuō: "Nǐ hěn lèi le, zuótiān wǎnshang yě méi shuì hǎo jiào, nǐ jīntiān zài jiā xiūxi, míngtiān wǒ dài nǐ qù wánr." Wǒ zài jiā juéde méi yìsi, jiějie chūqu mǎi dōngxi de shíhou, wǒ jiù yí ge rén zuò chē chūqu le.

Běijīng zhège dìfang hěn dà, wǒ dì-yī cì lái, yě bú rènshi lù. Qìchē kāi dào yí ge gōngyuán qiánbian, wǒ jiù xiàle chē, jìnle nàge gōngyuán.

Gōngyuán de huār kāi de piàoliang jí le. Wánrle yíhuìr, wǒ juéde lèi le, jiù zuò zài chángyǐ shang xiūxi.

"Wèi, yào guān mén le, kuài huíqu ba!" Yí ge gōngyuán li de rén jiào wǒ. Āiyā, gāngcái wǒ shuì zháo le. Xiànzài yǐjīng hěn wǎn le, wǒ xiǎng jiějie yídìng zài zhǎo wǒ ne, děi kuài huí jiā le.

26

Zhùhè nǐ
祝贺你
CONGRATULATIONS

Jùzi
句子 Sentences

181 这 次 考试， 成绩 还 可以。
Zhè cì kǎoshì, chéngjì hái kěyǐ.

The result of this examination is quite good.

182 他 的 成绩 全 班 第一。
Tā de chéngjì quán bān dì-yī.

He came out first in the exam in the whole class.

183 考 得 真 好， 祝贺 你！
Kǎo de zhēn hǎo, zhùhè nǐ!

Congratulations to you on your success in the exam.

184 祝 你 生日 快乐！
Zhù nǐ shēngrì kuàilè!

Happy birthday to you!

185 祝 你 身体 健康！
Zhù nǐ shēntǐ jiànkāng!

I wish you good health.

186 尼娜 有 事 来 不 了。
Nínà yǒu shì lái bu liǎo.

Nina will not be able to come because she is occupied.

187 你 打 开 盒子 看看。
Nǐ dǎ kāi hézi kànkan.

Please open the box and have a look.

188 我 送 你 一件 礼物，请 收 下。
Wǒ sòng nǐ yí jiàn lǐwù, qǐng shōu xià.

This is a gift from me. Please accept it.

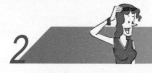

Huìhuà
会话 Conversations

1 ......

刘京：　　这 次 考试 成绩　怎么样？
Liú Jīng：　Zhè cì　kǎoshì chéngjì zěnmeyàng?

大卫：　　还 可以。笔试 九十 分，口试 八十五 分。
Dàwèi：　Hái kěyǐ.　Bǐshì jiǔshí fēn, kǒushì bāshíwǔ fēn.

玛丽：　　你 知道 吗？他 的 成绩　全 班 第一。
Mǎlì：　Nǐ zhīdào ma? Tā de chéngjì quán bān dì-yī.

刘京：　　考 得 真 好，祝贺 你！
Liú Jīng：　Kǎo de zhēn hǎo, zhùhè nǐ!

大卫：　　玛丽 也 考 得 不错。
Dàwèi：　Mǎlì yě kǎo de búcuò.

玛丽：　　这 要 感谢 刘京 和 王 兰 的 帮助。
Mǎlì：　Zhè yào gǎnxiè Liú Jīng hé Wáng Lán de bāngzhù.

2 .....

玛丽:　　王　兰，祝　你　生日　快乐！
Mǎlì:　　Wáng Lán, zhù　nǐ shēngrì　kuàilè!

刘京:　　我们　送　你 一个　生日　蛋糕。祝　你 身体　健康！
Liú Jīng:　Wǒmen sòng nǐ　yí ge shēngrì dàngāo. Zhù　nǐ　shēntǐ jiànkāng!

王兰:　　谢谢！
Wáng Lán:　Xièxie!

大卫:　　这 是 我 给 你 的 花儿。
Dàwèi:　　Zhè shì wǒ gěi nǐ de　huār.

王兰:　　这些　花儿 真　漂亮。
Wáng Lán:　Zhèxiē　huār zhēn　piàoliang.

大卫:　　尼娜 有 事 来 不 了，她 祝 你 生日　愉快。
Dàwèi:　　Nínà　yǒu shì lái bu liǎo, tā zhù　nǐ shēngrì　yúkuài.

王兰:　　谢谢，大家　请　坐。
Wáng Lán:　Xièxie,　dàjiā　qǐng zuò.

和子:　　我 送　你 一 件　礼物，请　收　下。
Hézǐ:　　Wǒ sòng nǐ　yí jiàn　lǐwù,　qǐng shōu xià.

刘京：　你 知道 她 送 的 什么 吗?
Liú Jīng：　Nǐ zhīdào tā sòng de shénme ma?

王兰：　不 知道。
Wáng Lán：　Bù zhīdào.

和子：　你 打开 盒子 看看。
Hézǐ：　Nǐ dǎ kāi hézi kànkan.

王兰：　啊，是 一 只 小狗。
Wáng Lán：　À, shì yì zhī xiǎogǒu.

刘京：　这个 小 东西 多 可爱 啊!①
Liú Jīng：　Zhège xiǎo dōngxi duō kě'ài a!

Zhùshì
注释：Notes

① "这个小东西多可爱啊!""Zhège xiǎo dōngxi duō kě'ài a!"

　"小东西" 这里指的是玩具 "小狗"。有时 "小东西" 也可指人或动物，并含有喜爱的感情。

　"Xiǎo dōngxi" zhèlǐ zhǐ de shì wánjù "xiǎo gǒu". Yǒushí "xiǎo dōngxi" yě kě zhǐ rén huò dòngwù, bìng hányǒu xǐ'ài de gǎnqíng.

　"小东西 xiǎo dōngxi" here refers to a toy puppy. Sometimes it may refer to a person or an animal with affection.

3　替换与扩展 Substitution and Extension
Tìhuàn yǔ Kuòzhǎn

▶ 替换 Tìhuàn

1. 祝 你 生日 快乐!
　Zhù nǐ shēngri kuàilè!

生日愉快	身体健康
shēngrì yúkuài	shēntǐ jiànkāng
生活幸福	工作顺利
shēnghuó xìngfú	gōngzuò shùnlì

2. 你打开盒子看看。
Nǐ dǎ kāi hézi kànkan.

衣柜	找	窗户	看
yīguì	zhǎo	chuānghu	kàn
随身听	听	门	看
suíshēntīng	tīng	mén	kàn

3. 这个小东西多可爱啊！
Zhège xiǎo dōngxi duō kě'ài a!

公园	美	问题	难
gōngyuán	měi	wèntí	nán
鱼	好吃	地方	好玩儿
yú	hǎochī	dìfang	hǎowánr

扩展 Kuòzhǎn

1. 下 个 月 玛丽 的 姐姐 结 婚。玛丽 写 信 祝贺
Xià ge yuè Mǎlì de jiějie jié hūn. Mǎlì xiě xìn zhùhè

他们。
tāmen.

2. 祝 你们 生活 幸福，新婚 愉快！
Zhù nǐmen shēnghuó xìngfú, xīnhūn yúkuài!

Shēngcí
生词 New Words

4

1	成绩	N.	chéngjì	result, achievement
2	全	Adj., Adv.	quán	all, every
3	班	N.	bān	class
4	考	V.	kǎo	to give (or to take) an examination
5	祝贺	V.	zhùhè	to congratulate

6	祝	V.	zhù	to congratulate
7	快乐	Adj.	kuàilè	happy
8	了	V.	liǎo	(used in conjunction with 得 de or 不 bù after a verb to express possibility)
9	打开		dǎ kāi	to open
10	盒子	N.	hézi	box
11	笔试	N.	bǐshì	written exam
12	分	N.	fēn	credit point, mark
13	口试	N.	kǒushì	oral exam
14	蛋糕	N.	dàngāo	cake
15	只	M.W.	zhī	(measure word)
16	狗	N.	gǒu	dog
17	可爱	Adj.	kě'ài	lovely
18	幸福	Adj., N.	xìngfú	happy; happiness
19	门	N.	mén	door, gate
20	问题	N.	wèntí	problem, question
21	难	Adj.	nán	difficult, hard
22	新婚	N.	xīnhūn	newly-wed

5 语法 Yǔfǎ Grammar

1. "开"、"下"作结果补语 "Kāi"、"xià" zuò jiéguǒ bǔyǔ
"开" and "下" as complements of result

1 动词 "开" 作结果补语 Dòngcí "kāi" zuò jiéguǒ bǔyǔ
The verb "开 kāi" as a complement of result

① 表示通过动作使合拢、连接的东西分开。例如：
Biǎoshì tōngguò dòngzuò shǐ hélǒng、liánjiē de dōngxi fēn kāi. Lìrú:

To cause something folded or fastened to become open through an activity, e.g.

（1）她打开衣柜拿了一件衣服。　（2）请打开书，看第十五页(yè, page)。
　　　Tā dǎ kāi yīguì nále yí jiàn yīfu.　　　Qǐng dǎ kāi shū, kàn dì-shíwǔ yè.

② 表示通过动作，使人或物离开某处。例如：
Biǎoshì tōngguò dòngzuò, shǐ rén huò wù lí kāi mǒu chù. Lìrú:
To get a person or a thing away from its original place, e.g.

（3）车来了，快走开！　（4）快拿开桌子上的东西。
　　　Chē lái le, kuài zǒu kāi!　　　Kuài ná kāi zhuōzi shang de dōngxi.

② 动词"下"作结果补语 Dòngcí "xià" zuò jiéguǒ bǔyǔ
　　The verb "下 xià" as a complement of result

① 表示人或事物随动作从高处到低处。例如：
Biǎoshì rén huò shìwù suí dòngzuò cóng gāochù dào dīchù. Lìrú:
To indicate a downward movement, e.g.

（5）你坐下吧。　（6）他放下书，就去吃饭了。
　　　Nǐ zuò xia ba.　　　Tā fàng xia shū, jiù qù chī fàn le.

② 使某人或某物固定在某处。例如：
Shǐ mǒu rén huò mǒu wù gùdìng zài mǒu chù. Lìrú:
To make somebody or something stay in place, e.g.

（7）写下你的电话号码。　（8）请收下这个礼物吧。
　　　Xiě xià nǐ de diànhuà hàomǎ.　　　Qǐng shōu xià zhège lǐwù ba.

2. 可能补语 Kěnéng bǔyǔ (1)　The complement of possibility (1)

在动词和结果补语之间加上结构助词"得"，就构成了表示可能的可能补语。如"修得好"、"打得开"，就是"能修好"、"能打开"的意思。

它的否定式是将中间的"得"换成"不"。如"修不好"、"打不开"等等。

Zài dòngcí hé jiéguǒ bǔyǔ zhījiān jiā shàng jiégòu zhùcí "de", jiù gòuchéngle biǎoshì kěnéng de kěnéng bǔyǔ. Rú "xiū de hǎo"、"dǎ de kāi", jiù shì "néng xiū hǎo"、"néng dǎ kāi" de yìsi.

Tā de fǒudìngshì shì jiāng zhōngjiān de "de" huàn chéng "bu". Rú "xiū bu hǎo"、"dǎ bu kāi" děngděng.

A complement of possibility is usually formed by inserting the structural particle "得 de" between the verb and the complement of result, e.g. "修得好 xiū de hǎo," "打得开 dǎ de kāi" which mean "能修好 néng xiū hǎo" and "能打开 néng dǎ kāi" respectively.

Its negative form is realized by the replacement of "得" with "不 bu," e.g. "修不好xiū bu hǎo," "打不开 dǎ bu kāi," and so on.

3. 动词 "了 (liǎo)" 作可能补语 Dòngcí "liǎo" zuò kěnéng bǔyǔ
The verb "了" as a complement of possibility

❶ 动词 "了" 表示 "完毕"、"结束" 或 "可能" 的意思。常用在动词后，构成可能补语，表示对行为实现的可能性作出估计。例如：

Dòngcí "liǎo" biǎoshì "wánbì"、"jiéshù" huò "kěnéng" de yìsi. Cháng yòng zài dòngcí hòu, gòuchéng kěnéng bǔyǔ, biǎoshì duì xíngwéi shíxiàn de kěnéngxing zuòchū gūjì. Lìrú:

The verb "了liǎo" means "to finish" or "to complete." It is often put after the verb to form a complement of possibility. Such a construction makes an assessment of the possible execution of an action, e.g.

（1）明天你去得了公园吗?
　　　Míngtiān nǐ qù de liǎo gōngyuán ma?

（2）他病了，今天来不了了。
　　　Tā bìng le, jīntiān lái bu liǎo le.

❷ 有时作可能补语仍旧表示 "完毕" 的意思。例如：

Yǒushí zuò kěnéng bǔyǔ réngjiù biǎoshì "wánbì" de yìsi. Lìrú:

Though used as a complement of possibility, sometimes it still means "completion," e. g.

（3）这么多菜，我一个人吃不了。
　　　Zhème duō cài, wǒ yí ge rén chī bu liǎo.

（4）做这点儿练习，用不了半个小时。
　　　Zuò zhè diǎnr liànxí, yòng bu liǎo bàn ge xiǎoshí.

6

1 熟读下列短语并选择造句 Shú dú xiàliè duǎnyǔ bìng xuǎnzé zào jù
Read the following phrases until fluent and make sentences with some of them.

全班 quán bān
全家 quán jiā
全校 quán xiào
全国 quán guó

生活幸福 shēnghuó xìngfú
全家幸福 quán jiā xìngfú
幸福的生活 xìngfú de shēnghuó
幸福的孩子 xìngfú de háizi

买礼物 mǎi lǐwù
送礼物 sòng lǐwù
生日礼物 shēngrì lǐwù
结婚礼物 jié hūn lǐwù

来得了 lái de liǎo
来不了 lái bu liǎo
吃得了 chī de liǎo
吃不了 chī bu liǎo

2 用"多……啊"完成句子 Yòng "duō…a" wánchéng jùzi
Complete the sentences with "多…啊."

（1）这件衣服的颜色＿＿＿＿＿＿＿＿，孩子们穿最好看。
　　　Zhè jiàn yīfu de yánsè＿＿＿＿＿＿＿，háizimen chuān zuì hǎokàn.

（2）上课的时候，我去晚了，你知道我＿＿＿＿＿＿＿！
　　　Shàng kè de shíhou, wǒ qù wǎn le, nǐ zhīdào wǒ＿＿＿＿＿＿＿！

（3）你没去过长城？那＿＿＿＿＿＿＿！
　　　Nǐ méi qùguo Chángchéng? Nà＿＿＿＿＿＿＿！

（4）你爸爸、妈妈都很健康，你们全家＿＿＿＿＿＿＿！
　　　Nǐ bàba、māma dōu hěn jiànkāng, nǐmen quán jiā＿＿＿＿＿＿＿！

（5）你新买的自行车坏了，＿＿＿＿＿＿＿！
　　　Nǐ xīn mǎi de zìxíngchē huài le,＿＿＿＿＿＿＿！

3 完成对话（用上祝愿、祝贺的话）

Wánchéng duìhuà(yòng shàng zhùyuàn、zhùhè de huà)

Complete the conversations (using words or phrases expressing good wishes and congratulations).

（1）A：听说你的两张画儿参加了画展，＿＿＿＿＿＿＿＿＿。

　　B：谢谢！欢迎参观。

　　A：Tīngshuō nǐ de liǎng zhāng huàr cānjiāle huàzhǎn，＿＿＿＿＿＿＿。

　　B：Xièxie！Huānyíng cānguān.

（2）A：明天要考试了。

　　B：＿＿＿＿＿＿＿＿。

　　A：Míngtiān yào kǎoshì le.

　　B：＿＿＿＿＿＿＿.

（3）A：我妈妈来了，我陪她去玩儿玩儿。

　　B：＿＿＿＿＿＿＿＿＿＿！

　　A：Wǒ māma lái le，wǒ péi tā qù wánrwanr.

　　B：＿＿＿＿＿＿＿＿＿＿！

4 用结果补语或可能补语完成句子

Yòng jiéguǒ bǔyǔ huò kěnéng bǔyǔ wánchéng jùzi

Complete the following sentences with the result complements or the complements of possibility.

（1）房间里太热了，请＿＿＿＿＿＿＿。

　　Fángjiān li tài rè le，qǐng＿＿＿＿＿＿＿.

（2）这是他给你的礼物，请＿＿＿＿＿＿＿。

　　Zhè shì tā gěi nǐ de lǐwù，qǐng＿＿＿＿＿＿＿.

（3）我的手表坏了，＿＿＿＿＿＿＿？

　　Wǒ de shǒubiǎo huài le，＿＿＿＿＿＿＿？

（4）这么多菜，我们＿＿＿＿＿＿＿。

　　Zhème duō cài，wǒmen＿＿＿＿＿＿＿.

（5）这件衣服真脏，＿＿＿＿＿＿＿＿？
　　　Zhèjiàn yīfu zhēn zāng,＿＿＿＿＿＿＿＿?

（6）明天的会你＿＿＿＿＿＿＿＿？
　　　Míngtiān de huì nǐ＿＿＿＿＿＿＿＿?

5 会话 Huìhuà　Conversational drills

（1）你朋友考试的成绩很好，你向他／她祝贺。
　　　Nǐ péngyou kǎoshì de chéngjì hěn hǎo, nǐ xiàng tā zhùhè.
　　　Your friend got a good mark in the exam, and you would congratulate him / her.

（2）你的朋友结婚，你去祝贺他／她。
　　　Nǐ de péngyou jié hūn, nǐ qù zhùhè tā.
　　　Your friend got married, and you went to congratulate him / her.

6 听述 Tīng shù　Listen and retell.

　　上星期英语系的同学用英语唱歌、演话剧（huàjù，drama）。王兰、刘京都参加了。那些同学的英语说得真好，歌唱得更好。以后我们要是能用汉语演话剧就好了。

　　刘京他们班演的话剧是全系第一，王兰唱歌是第三。我们高兴极了，都去祝贺他们。

　　Shàng xīngqī Yīngyǔxì de tóngxué yòng Yīngyǔ chàng gē、yǎn huàjù. Wáng Lán、Liú Jīng dōu cānjiā le. Nàxiē tóngxué de Yīngyǔ shuō de zhēn hǎo, gē chàng de gèng hǎo. Yǐhòu wǒmen yàoshi néng yòng Hànyǔ yǎn huàjù jiù hǎo le.

　　Liú Jīng tāmen bān yǎn de huàjù shì quán xì dì-yī. Wáng Lán chàng gē shì dì-sān, wǒmen gāoxìng jí le, dōu qù zhùhè tāmen.

7 语音练习 Yǔyīn liànxí　Phonetic drills

（1）常用音节练习 Chángyòng yīnjié liànxí　Drill on the frequently used syllables

	yāoqǐng	邀请		wūzi	屋子
yao	yáobǎi	摇摆	wu	tiào wǔ	跳舞
	yàoshi	钥匙		fúwùyuán	服务员

（2）朗读会话 Lǎngdú huìhuà　Read aloud the conversation.

A：Xīnnián hǎo!

B：Xīnnián hǎo! Zhù nǐ xīnnián kuàilè!

A：Zhù nǐmen quán jiā xìngfú!

B：Zhù nǐmen shēntǐ jiànkāng, shēnghuó yúkuài!

A：Xièxie!

Nǐ bié chōu yān le

你别抽烟了

PLEASE DON'T SMOKE

1

Jùzi
句子 Sentences

189 我 有点儿 咳嗽。
Wǒ yǒudiǎnr késou.

I have a cough.

190 你 别 抽 烟 了。
Nǐ bié chōu yān le.

Please don't smoke.

191 抽 烟 对 身体 不 好。
Chōu yān duì shēntǐ bù hǎo.

Smoking is bad for your health.

192 你 去 医院 看看 吧。
Nǐ qù yīyuàn kànkan ba.

You'd better go to the hospital.

193 你 开车 开 得 太 快 了。
Nǐ kāi chē kāi de tài kuài le.

You drive too fast.

194 开 快 了 容易 出 事故。
Kāi kuài le róngyì chū shìgù.

You may have an accident if you
drive fast.

195 昨天 清华 大学 前边 出
Zuótiān Qīnghuá Dàxué qiánbian chū

交通 事故 了。
jiāotōng shìgù le.

There was a traffic accident in front
of Tsinghua University yesterday.

196 你 得 注意 安全 啊！
Nǐ děi zhùyì ānquán a!

You must be careful about your own safety.

 Huìhuà
会话 Conversations

李红： 老 张①，你 怎么 了？
Lǐ Hóng: Lǎo Zhāng, nǐ zěnme le?

老张： 没 什么， 有点儿 咳嗽。
Lǎo Zhāng: Méi shénme, yǒudiǎnr késou.

李红： 你 别 抽 烟 了 。
Lǐ Hóng: Nǐ bié chōu yān le.

老张： 我 每 天 抽 得 不 多。
Lǎo Zhāng: Wǒ měi tiān chōu de bù duō.

李红： 那 对 身体 也 不 好。
Lǐ Hóng: Nà duì shēntǐ yě bù hǎo.

老张： 我 想 不 抽，可是 觉得 不 舒服。
Lǎo Zhāng: Wǒ xiǎng bù chōu, kěshì juéde bù shūfu.

李红： 时间 长 了 就 习惯 了。
Lǐ Hóng: Shíjiān cháng le jiù xíguàn le.

老张： 好， 我 试试。今天 先 吃 点儿 药。
Lǎo Zhāng: Hǎo, wǒ shìshi. Jīntiān xiān chī diǎnr yào.

李红：　你 去 医院 看看 吧。
Lǐ Hóng：　Nǐ qù yīyuàn kànkan ba.

2......

王兰：　你 开 车 开 得 太 快 了。这样 不 安 全。
Wáng Lán：　Nǐ kāi chē kāi de tài kuài le. Zhèyàng bù ānquán.

大卫：　我 有 事，得 快 点儿 去。
Dàwèi：　Wǒ yǒu shì, děi kuài diǎnr qù.

王兰：　那 也 不 能 开 得 这么 快。
Wáng Lán：　Nà yě bù néng kāi de zhème kuài.

大卫：　没 关系。我 开 车 的 技术 好。
Dàwèi：　Méi guānxi. Wǒ kāi chē de jìshù hǎo.

王兰：　开 快 了 容易 出 事故。昨天 清华 大学
Wáng Lán：　Kāi kuài le róngyì chū shìgù. Zuótiān Qīnghuá Dàxué

　　　　前边 出 交通 事 故 了。
　　　　qiánbian chū jiāotōng shìgù le.

大卫：　真 的 吗?
Dàwèi：　Zhēn de ma?

王兰：　你 得 注意 安全 啊!
Wáng Lán：　Nǐ děi zhùyì ānquán a!

大卫：　好，我 以后 不 开
Dàwèi：　Hǎo, wǒ yǐhòu bù kāi

　　　　快 车 了。
　　　　kuài chē le.

Zhùshì
注释：Notes

① "老张" "Lǎo Zhāng"

对四五十岁的同事、朋友、邻居等，在姓氏前面加"老"用做称呼，其语气比直呼姓名亲切，对女性不常用。

Duì sì-wǔshí suì de tóngshì、péngyou、línjū děng, zài xìngshì qiánmian jiā "lǎo" yòngzuò chēnghu, qí yǔqì bǐ zhí hū xìngmíng qīnqiè, duì nǚxìng bù cháng yòng.

It sounds more intimate to address a colleague, friend or neighbor in his forties or fifties by adding "老 lǎo" before his family name. "老" is not often used for women.

3 替换与扩展
Tìhuàn yǔ Kuòzhǎn
Substitution and Extension

▶ 替换 *Tìhuàn*

1. 你别<u>抽烟</u>了。
Nǐ bié <u>chōu yān</u> le.

去那儿	喝酒
qù nàr	hē jiǔ
开快车	迟到
kāi kuàichē	chídào

2. 你<u>开车</u>开得太<u>快</u>了。
Nǐ <u>kāi chē</u> kāi de tài <u>kuài</u> le.

写字	慢	睡觉	晚
xiě zì	màn	shuì jiào	wǎn
起床	早	说汉语	快
qǐ chuáng	zǎo	shuō Hànyǔ	kuài

▶ 扩展 *Kuòzhǎn*

1. 我 头 疼、咳嗽，可能 感冒 了。一会儿 我 去
Wǒ tóu téng、késou, kěnéng gǎnmào le. Yíhuìr wǒ qù
医院 看病。
yīyuàn kàn bìng.

2. 每 个 人 都 要 注意 交通 安全。
Měi ge rén dōu yào zhùyì jiāotōng ānquán.

3. 小孩子　不要　在　马路　上　玩儿。
Xiǎoháizi　búyào　zài　mǎlù shang　wánr.

4

Shēngcí
生词 New Words

1	有点儿	Adv.	yǒudiǎnr	a little, slightly
2	咳嗽	V.	késou	to cough
3	抽	V.	chōu	to smoke
4	烟	N.	yān	cigarette
5	医院	N.	yīyuàn	hospital
6	事故	N.	shìgù	accident
7	交通	N.	jiāotōng	traffic
8	得	M.V.	děi	must, to have to
9	注意	V.	zhùyì	to be careful
10	安全	Adj.	ānquán	safe
11	舒服	Adj.	shūfu	comfortable
12	习惯	V., N.	xíguàn	to get used to; habit
13	药	N.	yào	medicine
14	这样	Pron.	zhèyàng	in this way, like this
15	技术	N.	jìshù	technique
16	迟到	V.	chídào	to arrive late
17	头	N.	tóu	head
18	疼	Adj.	téng	painful, aching
19	感冒	V., N.	gǎnmào	to catch (a) cold; cold

20 病	V., N.	bìng	to be sick; illness
21 每	Pron.	měi	every
22 马路	N.	mǎlù	street, road

5

Yǔfǎ
语法 Grammar

1. **"有点儿"作状语** "Yǒudiǎnr" zuò zhuàngyǔ "有点儿" as an adverbial adjunct

"有点儿"在动词或形容词前作状语，表示程度轻微，并带有不如意的意思。例如：

"Yǒudiǎnr" zài dòngcí huò xíngróngcí qián zuò zhuàngyǔ，biǎoshì chéngdù qīngwēi，bìng dàiyǒu bù rúyì de yìsi. Lìrú:

When used as an adverbial adjunct before a verb or an adjective, "有点儿 yǒudiǎnr" denotes "a slight degree" and carries a touch of dissatisfaction, e.g.

(1) 这件事有点儿麻烦。
Zhè jiàn shì yǒudiǎnr máfan.

(2) 今天有点儿热。
Jīntiān yǒudiǎnr rè.

(3) 他有点儿不高兴。
Tā yǒudiǎnr bù gāoxìng.

2. **存现句** Cúnxiàn jù

The sentence expressing existence

表示人或事物在某处存在、出现或消失的动词谓语句叫作存现句。例如：

Biǎoshì rén huò shìwù zài mǒu chù cúnzài、chūxiàn huò xiāoshī de dòngcí wèiyǔ jù jiàozuò cúnxiàn jù. Lìrú:

A sentence with a verbal predicate that describes the existence, appearance or disappearance of a person or thing is called the sentence expressing existence, e.g.

(1) 桌子上有一本汉英词典。
Zhuōzi shang yǒu yì běn Hàn-Yīng cídiǎn.

(2) 前边走来一个外国人。
Qiánbian zǒu lai yí ge wàiguó rén.

(3) 上星期走了一个美国学生。
Shàng xīngqī zǒule yí ge Měiguó xuésheng.

6

1 用 "有点儿"、"（一）点儿" 填空 Yòng "yǒudiǎnr"、"(yì) diǎnr" tiánkòng
Fill in the blanks with "有点儿" or "（一）点儿."

（1）这件衣服_____长，请换一件短_____的。
Zhè jiàn yīfu_____cháng, qǐng huàn yí jiàn duǎn_____de.

（2）刚来中国的时候，我生活_____不习惯，现在习惯_____了。
Gāng lái Zhōngguó de shíhou, wǒ shēnghuó_____bù xíguàn, xiànzài xíguàn_____le.

（3）现在这么忙，你应该注意_____身体。
Xiànzài zhème máng, nǐ yīnggāi zhùyì_____shēntǐ.

（4）你病了，得去医院看看，吃_____药。
Nǐ bìng le, děi qù yīyuàn kànkan, chī_____yào.

（5）他刚才喝了_____酒，头_____疼，现在已经好_____了。
Tā gāngcái hēle_____jiǔ, tóu_____téng, xiànzài yǐjīng hǎo_____le.

2 完成对话 Wánchéng duìhuà Complete the following conversations.

（1）A：我想骑车去北海公园。

B：路太远，_____。

A：_____，我不累。

B：路上车多人多，要_____。

A：谢谢。

A：Wǒ xiǎng qí chē qù Běihǎi Gōngyuán.

B：Lù tài yuǎn, _____.

A：_____, wǒ bú lèi.

B：Lù shang chē duō rén duō, yào_____.

A：Xièxie.

（2）A：我们唱唱歌吧。

　　B：＿＿＿＿＿＿＿＿＿＿，现在十一点了，大家都要休息了。

　　A：好，＿＿＿＿＿＿＿＿＿＿＿＿。

　　A：Wǒmen chàngchang gē ba.

　　B：＿＿＿＿＿＿＿＿＿＿, xiànzài shíyī diǎn le, dàjiā dōu yào xiūxi le.

　　A：Hǎo, ＿＿＿＿＿＿＿＿＿＿＿＿.

3 会话（用上表示劝告的话）Huìhuà (yòng shàng biǎoshì quàngào de huà)
Conversational drills (using persuasive remarks).

（1）有个人在公共汽车上抽烟，售票员和抽烟的人对话。

　　Yǒu ge rén zài gōnggòng qìchē shang chōu yān, shòupiàoyuán hé chōu yān de rén duìhuà.

　　Between a conductor and a passenger who is smoking in the bus.

（2）有一个参观的人要照相，可是这里不允许照相。你告诉他并劝阻他不要照相。

　　Yǒu yí ge cānguān de rén yào zhào xiàng, kěshì zhèlǐ bù yǔnxǔ zhào xiàng. Nǐ gàosu tā bìng quànzǔ tā búyào zhào xiàng.

　　A visitor wants to take photos. You tell him that it is forbidden to take photos here.

（3）有一个人骑车，车后还带了一个人，这在中国是不允许的。警察和骑车的人对话。

　　Yǒu yí ge rén qí chē, chē hòu hái dàile yí ge rén, zhè zài Zhōngguó shì bù yǔnxǔ de. Jǐngchá hé qí chē de rén duìhuà.

　　Between a policeman and a bike rider who carries a person at the back of his bike (which is forbidden in China).

4 把下列句子改成存现句 Bǎ xiàliè jùzi gǎi chéng cúnxiàn jù
Change the following sentences into sentences expressing existence.

> 例：有两个人往这边走来了。　　　　　→ 前边来了两个人。
>
> 　　Yǒu liǎng ge rén wǎng zhèbian zǒu lai le. → Qiánbian lái le liǎng ge rén.

（1）有两个新同学到我们班来了。
　　　Yǒu liǎng ge xīn tóngxué dào wǒmen bān lai le.

（2）一支铅笔、一个本子放在桌子上。
　　　Yì zhī qiānbǐ、yí ge běnzi fàng zài zhuōzi shang.

（3）两个中国朋友到我们宿舍来了。
　　　Liǎng ge Zhōngguó péngyou dào wǒmen sùshè lai le.

（4）一辆汽车从那边开来了。
　　　Yí liàng qìchē cóng nàbian kāi lai le.

5 听述 Tīng shù　Listen and retell.

　　　昨天是刘京的生日，我们去他家为他祝贺。他妈妈做的菜很好吃。我们喝酒、吃饭、唱歌、跳舞，高兴极了。大家劝（quàn, to persuade）大卫别喝酒。为什么呢？他是骑摩托车（mótuōchē, motorbike）去的。他要是喝酒，就太不安全了。

　　　Zuótiān shì Liú Jīng de shēngrì, wǒmen qù tā jiā wèi tā zhùhè. Tā māma zuò de cài hěn hǎochī. Wǒmen hē jiǔ、chī fàn、chàng gē、tiào wǔ, gāoxìng jí le. Dàjiā quàn Dàwèi bié hē jiǔ. Wèishénme ne? Tā shì qí mótuōchē qù de. Tā yàoshi hē jiǔ, jiù tài bù ānquán le.

6 语音练习 Yǔyīn liànxí　Phonetic drills

（1）常用音节练习 Chángyòng yīnjié liànxí　Drill on the frequently used syllables

yu	yì tiáo yú	一条鱼	jie	jiē diànhuà	接电话
	Hànyǔ	汉语		jié hūn	结婚
	yù jiàn	遇见		jiějie	姐姐
				jiè shū	借书

（2）朗读会话Lǎngdú huìhuà Read aloud the conversation.

A：Bié jìnqu le.

B：Wèishénme?

A：Tā yǒudiǎnr bù shūfu，shuì jiào le.

B：Nǐ zhīdào tā shì shénme bìng ma?

A：Gǎnmào.

B：Chī yào le ma?

A：Gāng chīguo.

Jīntiān bǐ zuótiān lěng

今天比昨天冷

IT IS COLDER TODAY THAN IT WAS YESTERDAY

1

Jùzi
句子 Sentences

197 今天 比 昨天 冷。 It's colder today than it was yesterday.
Jīntiān bǐ zuótiān lěng.

198 这儿 比 东京 冷 多 了。 It's much colder here than in Tokyo.
Zhèr bǐ Dōngjīng lěng duō le.

199 有时候 下 雨。 It rains sometimes.
Yǒushíhou xià yǔ.

200 天气 预报 说， 明天 有 The weather forecast says that there
Tiānqì yùbào shuō, míngtiān yǒu will be strong wind tomorrow.

大 风。
dà fēng.

201 明天 比 今天 还 冷 呢。 Tomorrow will be even colder than
Míngtiān bǐ jīntiān hái lěng ne. today.

202 你 要 多 穿 衣服。 You should put on more clothes.
Nǐ yào duō chuān yīfu.

203 那儿 的 天气 跟 这儿 一样 吗? Is the weather there the same as it is
Nàr de tiānqì gēn zhèr yíyàng ma? here?

204 气温 在 零下 二十 多 度。
Qìwēn zài língxià èrshí duō dù.

The temperature is over 20 degrees below zero.

Huìhuà
会话 Conversations

刘京： 今天 天气 真 冷。
Liú Jīng： Jīntiān tiānqì zhēn lěng.

和子： 是 啊。今天 比 昨天 冷。
Hézǐ： Shì a. Jīntiān bǐ zuótiān lěng.

刘京： 这儿 的 天气 你 习惯 了 吗?
Liú Jīng： Zhèr de tiānqì nǐ xíguàn le ma?

和子： 还 不 太 习惯 呢。这儿 比 东京 冷 多 了。
Hézǐ： Hái bú tài xíguàn ne. Zhèr bǐ Dōngjīng lěng duō le.

刘京： 你们 那儿 冬天 不 太 冷 吗?
Liú Jīng： Nǐmen nàr dōngtiān bú tài lěng ma?

和子： 是 的。
Hézǐ： Shì de.

刘京： 东京 下 雪 吗？
Liú Jīng： Dōngjīng xià xuě ma?

和子： 很 少 下 雪。有时候 下 雨。
Hézǐ： Hěn shǎo xià xuě. Yǒushíhou xià yǔ.

刘京： 天气 预报 说， 明天 有 大 风，比 今天 还
Liú Jīng： Tiānqì yùbào shuō, míngtiān yǒu dà fēng, bǐ jīntiān hái

冷 呢。
lěng ne.

和子： 是 吗？
Hézǐ： Shì ma?

刘京： 你 要 多 穿 衣服， 别 感冒 了。
Liú Jīng： Nǐ yào duō chuān yīfu, bié gǎnmào le.

2......

玛丽： 张 老师，北京 的 夏天 热 吗？
Mǎli： Zhāng lǎoshī, Běijīng de xiàtiān rè ma?

张老师： 不 太 热。你们 那儿 跟 这儿 一样 吗？
Zhāng lǎoshī： Bú tài rè. Nǐmen nàr gēn zhèr yíyàng ma?

玛丽： 不 一样， 夏天 不 热，冬天 很 冷。
Mǎli： Bù yíyàng, xiàtiān bú rè, dōngtiān hěn lěng.

张老师： 有 多 冷？
Zhāng lǎoshī： Yǒu duō lěng?

玛丽： 零下 二十 多 度。
Mǎli： Língxià èrshí duō dù.

张老师： 真 冷 啊！
Zhāng lǎoshī： Zhēn lěng a!

玛丽：　可是，我 喜欢 冬天。
Mǎlì:　　Kěshì,　 wǒ xǐhuan dōngtiān.

张老师：　为什么？
Zhāng lǎoshī :　Wèishénme?

玛丽：　可以 滑 冰，滑 雪。
Mǎlì:　　Kěyǐ　 huá bīng,　 huá xuě.

3
Tìhuàn yǔ Kuòzhǎn
替换与扩展 Substitution and Extension

▶ 替换 Tìhuàn

	这儿 zhèr	那儿 nàr	暖和 nuǎnhuo
1. 今天比昨天冷。 Jīntiān bǐ zuótiān lěng.	这本书 zhè běn shū	那本书 nà běn shū	旧 jiù
	他 tā	我 wǒ	瘦 shòu

	这儿 zhèr	那儿 nàr	凉快 liángkuai
2. 这儿比东京冷多了。 Zhèr bǐ Dōngjīng lěng duō le.	这个练习 zhège liànxí	那个练习 nàge liànxí	难 nán
	这条路 zhè tiáo lù	那条路 nà tiáo lù	远 yuǎn
	这个歌 zhège gē	那个歌 nàge gē	好听 hǎotīng

那儿的东西 nàr de dōngxi	这儿 zhèr	贵 guì
那个颜色 nàge yánsè	这个 zhège	好看 hǎokàn
那个孩子 nàge háizi	这个 zhège	胖 pàng

3. 明天比今天还冷呢。
   Míngtiān bǐ jīntiān hái lěng ne.

扩展 Kuòzhǎn

1. 欢迎 你 秋天 来 北京。那 时候 天气 最 好，
   Huānyíng nǐ qiūtiān lái Běijīng. Nà shíhou tiānqì zuì hǎo,

   不 冷 也 不 热。
   bù lěng yě bú rè.

2. 北京 的 春天 常常 刮 风，不常 下 雨。
   Běijīng de chūntiān chángcháng guā fēng, bù cháng xià yǔ.

生词 Shēngcí New Words

1	比	Prep., V.	bǐ	than; to compare
2	有时候	Adv.	yǒushíhou	sometimes
3	下	V.	xià	to rain, to fall
4	雨	N.	yǔ	rain
5	预报	V.	yùbào	to forecast

6	气温	N.	qìwēn	temperature
7	度	M.W.	dù	degree
8	冬天	N.	dōngtiān	winter
9	雪	N.	xuě	snow
10	夏天	N.	xiàtiān	summer
11	滑(冰)	V.	huá (bīng)	to skate
12	冰	N.	bīng	ice
13	暖和	Adj.	nuǎnhuo	warm
14	旧	Adj.	jiù	old
15	瘦	Adj.	shòu	thin
16	凉快	Adj.	liángkuai	cool
17	胖	Adj.	pàng	fat
18	秋天	N.	qiūtiān	autumn
19	春天	N.	chūntiān	spring
20	刮	V.	guā	to blow

5

Yǔfǎ
语法 Grammar

1. 用"比"表示比较 Yòng "bǐ" biǎoshì bǐjiào
The use of "比" for comparison

❶ 介词"比"可以比较两个事物的性质、特点等。例如：

Jiècí "bǐ" kěyǐ bǐjiào liǎng ge shìwù de xìngzhì、tèdiǎn děng. Lìrú:

The preposition "比 bǐ" may be used to compare the qualities, characteristics etc. of two things, e.g.

（1）他比我忙。
　　Tā bǐ wǒ máng.

（2）他二十岁，我十九岁，他比我大。
　　Tā èrshí suì, wǒ shíjiǔ suì, tā bǐ wǒ dà.

（3）今天比昨天暖和。
　　Jīntiān bǐ zuótiān nuǎnhuo.

（4）他唱歌唱得比我好。
　　Tā chàng gē chàng de bǐ wǒ hǎo.

❷ 用"比"的句子里不能再用"很"、"非常"、"太"等程度副词。比如不能说"他比我很大"、"今天比昨天非常暖和"等等。

Yòng "bǐ" de jùzi li bù néng zài yòng "hěn"、"fēicháng"、"tài" děng chéngdù fùcí. Bǐrú bù néng shuō "tā bǐ wǒ hěn dà"、"jīntiān bǐ zuótiān fēicháng nuǎnhuo" děngděng.

Adverbs of degree such as "很 hěn,""非常 fēicháng" and "太 tài" cannot be used in a sentence in which "比" is used for comparison. For example, it is not correct to say "他比我很大 tā bǐ wǒ hěn dà," "今天比昨天非常暖和 jīntiān bǐ zuótiān fēicháng nuǎnhuo" and so on.

2. 数量补语 Shùliàng bǔyǔ　The complement of quantity

❶ 在用"比"表示比较的形容词谓语中，如果要表示两个事物的具体差别，就在谓语后边加上数量词作补语。例如：

Zài yòng "bǐ" biǎoshì bǐjiào de xíngróngcí wèiyǔ zhōng, rúguǒ yào biǎoshì liǎng ge shìwù de jùtǐ chābié, jiù zài wèiyǔ hòubian jiā shàng shùliàngcí zuò bǔyǔ. Lìrú:

If we want to show some specific differences between two things, we can add a numeral-measure word at the end of the adjectival predicate in which "比 bǐ" is used for comparison, e.g.

（1）他比我大两岁。　　　　　（2）他家比我家多两口人。
　　Tā bǐ wǒ dà liǎng suì.　　　　Tā jiā bǐ wǒ jiā duō liǎng kǒu rén.

❷ 要表示大略的差别程度，可以用"一点儿"、"一些"、"多了"或用"得"加程度补语"多"。例如：

Yào biǎoshì dàlüè de chābié chéngdù, kěyǐ yòng "yìdiǎnr"、"yìxiē"、"duō le" huò yòng "de" jiā chéngdù bǔyǔ "duō". Lìrú:

If we want to differentiate one from the other roughly, we can use "一点儿 yìdiǎnr" or "一些 yìxiē" to state slight differences and "得多 de duō" to denote big differences, e.g.

（3）他比我大一点儿(一些)。

Tā bǐ wǒ dà yìdiǎnr (yìxiē).

（4）那儿比这儿冷多了。

Nàr bǐ zhèr lěng duō le.

（5）这个教室比那个教室大得多。

Zhège jiàoshì bǐ nàge jiàoshì dà de duō.

（6）他跳舞跳得比我好得多。

Tā tiào wǔ tiào de bǐ wǒ hǎo de duō.

3. 用"多"表示概数 Yòng "duō" biǎoshì gàishù
"多" indicating an approximate number

"多"用在数量词或数词后，表示比前面的数目略多。

"Duō" yòng zài shùliàngcí huò shùcí hòu, biǎoshì bǐ qiánmian de shùmù lüè duō.

"多 duō" is used after a numeral-classifier word or numeral to indicate a number slightly more than the given number.

① 以"1~9"结尾的数词及数词"10"，"多"在数量词后表示"不足1"的概数，例如：

Yǐ "yī~jiǔ" jiéwěi de shùcí jí shùcí "shí", "duō" zài shùliàngcí hòu biǎoshì "bù zú yī" de gàishù. Lìrú:

"多" is added to the numerals ending with "1~9" or the numeral "10" to indicate an approximate number less than "1," e.g.

两岁多（"多"不足一岁）

liǎng suì duō ("duō" bù zú yí suì)

56 块多（"多"不足一块钱）

wǔshíliù kuài duō ("duō" bùzú yí kuài qián)

378 米多长（"多"不足一米）

sānbǎi qīshíbā mǐ duō cháng ("duō" bù zú yì mǐ)

10个多月（"多"不足 1 个月）

shí ge duō yuè ("duō" bù zú yí ge yuè)

② 数词是以"0"结尾的，"多"在数词后、量词前时，表示略大于前面数的概数（"多"表示1以上，10、100……以下，不够进位的整数）。例如：

Shùcí shì yǐ "líng" jiéwěi de, "duō" zài shùcí hòu、liàngcí qián shí, biǎoshì lüè dàyú qiánmian shù de gàishù ("duō" biǎoshì yī yǐshàng, shí、yìbǎi…yǐxià, bú gòu jìnwèi de zhěngshù). Lìrú:

"多" is used after the numerals ending with "0" and before measure words to indicate an approximate number slightly more than the given number. ("多" indicates an integer more than 1 but less than 10, 100..., which cannot be carried to the tens', hundreds' or thousands' place.) E.g.

20 多岁（"多"不足 10 岁）

èrshí duō suì（"duō" bù zú shí suì）

400 多块钱（"多"不足 100 块钱）

sìbǎi duō kuài qián（"duō" bù zú yìbǎi kuài qián）

580 多人（"多"不足 10 人）

wǔbǎi bāshí duō rén（"duō" bù zú shí rén）

10 多斤重（"多"不足 10 斤）

shí duō jīn zhòng（"duō" bù zú shí jīn）

Liànxí
练习 Exercises

① **熟读下列短语并选择造句** Shú dú xiàliè duǎnyǔ bìng xuǎnzé zào jù
Read the following phrases until fluent and make sentences with some of them.

上楼 shàng lóu
下楼 xià lóu

上飞机 shàng fēijī
下飞机 xià fēijī

上课 shàng kè
下课 xià kè

楼上 lóu shàng
楼下 lóu xià

桌子上 zhuōzi shang
床下 chuáng xia

上星期 shàng xīngqī
下星期 xià xīngqī

② **为词语选择适当的位置** Wèi cíyǔ xuǎnzé shìdàng de wèizhì
Find appropriate places for the words in parentheses.

（1）今天很冷，你要 A 穿 B 衣服。（多）
Jīntiān hěn lěng, nǐ yào A chuān B yīfu.（duō）

（2）你 A 喝 B 点儿酒吧。（少）
Nǐ A hē B diǎnr jiǔ ba.（shǎo）

（3）以后我们 A 联系 B 吧。（多）

Yǐhòu wǒmen A liánxì B ba. (duō)

（4）老师问你呢，你 A 回答 B！（快）

Lǎoshī wèn nǐ ne, nǐ A huídá B! (kuài)

❸ 用 "比" 改写句子 Yòng "bǐ" gǎixiě jùzi   Rewrite the sentences with "比."

> 例：我有五本书，他有二十本书。→
>
> Wǒ yǒu wǔ běn shū, tā yǒu èrshí běn shū. →
>
> **他的书比我多。或：我的书比他少。**
>
> Tā de shū bǐ wǒ duō. Huò：Wǒ de shū bǐ tā shǎo.

（1）我二十四岁，他二十岁。

Wǒ èrshísì suì, tā èrshí suì.

（2）昨天气温 27 度，今天 25 度。

Zuótiān qìwēn èrshíqī dù, jīntiān èrshíwǔ dù.

（3）他的毛衣很好看，我的毛衣不好看。

Tā de máoyī hěn hǎokàn, wǒ de máoyī bù hǎokàn.

（4）小王常常感冒，小刘很少有病。

Xiǎo Wáng chángcháng gǎnmào，Xiǎo Liú hěn shǎo yǒu bìng.

❹ 完成对话 Wánchéng duìhuà   Complete the following conversation.

A：你怎么又感冒了？

B：这儿的春天＿＿＿＿＿＿＿＿。（比，冷）

A：＿＿＿＿＿＿＿＿＿？

B：二十多度。

A：＿＿＿＿＿＿＿＿＿。（比，暖和）

B：这儿早上和晚上冷，中午暖和，＿＿＿＿＿＿＿＿。

A：时间长了，你就习惯了。

A：Nǐ zěnme yòu gǎnmào le?

B：Zhèr de chūntiān＿＿＿＿＿＿. (bǐ, lěng)

A： _____ ?

B： Èrshí duō dù.

A： _____ . (bǐ, nuǎnhuo)

B： Zhèr zǎoshang hé wǎnshang lěng, zhōngwǔ nuǎnhuo, _____.

A： Shíjiān cháng le, nǐ jiù xíguàn le.

5 回答问题 Huídá wèntí　Answer the questions.

(1) 今天三十四度，昨天三十度，今天比昨天高几度？
Jīntiān sānshísì dù, zuótiān sānshí dù, jīntiān bǐ zuótiān gāo jǐ dù?

(2) 张丽英家有五口人，王兰家只有三口人，张丽英家比王兰家多几口人？
Zhāng Lìyīng jiā yǒu wǔ kǒu rén, Wáng Lán jiā zhǐ yǒu sān kǒu rén, Zhāng Lìyīng jiā bǐ Wáng Lán jiā duō jǐ kǒu rén?

(3) 刘京二十三岁，王兰二十二岁，刘京比王兰大多了还是大一点儿？
Liú Jīng èrshísān suì, Wáng Lán èrshí'èr suì, Liú Jīng bǐ Wáng Lán dà duō le háishi dà yìdiǎnr?

(4) 这个楼有四层，那个楼有十六层，那个楼比这个楼高多少层？
Zhège lóu yǒu sì céng, nàge lóu yǒu shíliù céng, nàge lóu bǐ zhège lóu gāo duōshao céng?

6 听述 Tīng shù　Listen and retell.

　　人们都说春天好，春天是一年的开始(kāishǐ, to begin)。要是有一个好的开始，这一年就会很顺利。一天也是一样，早上是一天的开始。要是从早上就注意怎么样生活、学习、工作，这一天就会过得很好。

　　让我们都爱(ài, to love)春天、爱时间吧，要是不注意，以后会觉得遗憾的。

　　Rénmen dōu shuō chūntiān hǎo, chūntiān shì yì nián de kāishǐ. Yàoshi yǒu yí ge hǎo de kāishǐ, zhè yì nián jiù huì hěn shùnlì. yì tiān yě shì yíyàng, zǎoshang shì yì tiān de kāishǐ. Yàoshi cóng zǎoshang jiù zhùyì zěnmeyàng shēnghuó、xuéxí、gōngzuò, zhè yì tiān jiù huì guò de hěn hǎo.

Ràng wǒmen dōu ài chūntiān、ài shíjiān ba, yàoshi bú zhùyì, yǐhòu huì juéde yíhàn de.

7 语音练习 Yǔyīn liànxí   Phonetic drills

（1）常用音节练习 Chángyòng yīnjié liànxí   Drill on the frequently used syllables

jin	jīntiān	今天		chan	chānfú	搀扶
	bú yàojǐn	不要紧			yǎnchán	眼馋
	qǐng jìn	请进			shēngchǎn	生产

（2）朗读会话 Lǎngdú huìhuà   Read aloud the conversation.

A：Jīnnián dōngtiān bù lěng.

B：Shì bǐ qùnián nuǎnhuo.

A：Dōngtiān tài nuǎnhuo bù hǎo.

B：Zěnme?

A：Róngyì yǒu bìng.

Wǒ yě xǐhuan yóu yǒng

我也喜欢游泳

I ALSO LIKE SWIMMING

Jùzi
句子 Sentences

205 你 喜欢 什么 运动?   What kind of sports do you like?
Nǐ xǐhuan shénme yùndòng?

206 爬 山、 滑 冰、 游 泳, 我   Mountaineering, skating and swim-
Pá shān、 huá bīng、 yóu yǒng, wǒ   ming are all my favorite sports.

都 喜欢。
dōu xǐhuan.

207 你 游泳 游 得 好 不 好?   Do you swim well?
Nǐ yóu yǒng yóu de hǎo bu hǎo?

208 我 游 得 不 好，没有 你 游   I can't swim well. I can't swim as
Wǒ yóu de bù hǎo, méiyǒu nǐ yóu   well as you can.

得 好。
de hǎo.

209 谁 跟 谁 比赛?   Which teams are playing?
Shuí gēn shuí bǐsài?

210 北京 队 对 广东 队。   Beijing Team against Guangdong
Běijīng duì duì Guǎngdōng duì.   Team.

211 我 在 写 毛笔 字，没 画 画儿。 I am not drawing, but writing with
Wǒ zài xiě máobǐ zì，méi huà huàr. a writing brush.

212 我 想 休息 一会儿。 I want to have a rest.
Wǒ xiǎng xiūxi yíhuìr.

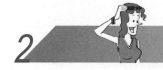

2 会话 Conversations
Huìhuà

刘京: 你 喜欢 什么 运动?
Liú Jīng: Nǐ xǐhuan shénme yùndòng?

大卫: 爬 山、滑 冰、游 泳，我 都 喜欢，你 呢?
Dàwèi: Pá shān、huá bīng、yóu yǒng，wǒ dōu xǐhuan，nǐ ne?

刘京: 我 常常 打 篮球、打 排球，也 喜欢 游 泳。
Liú Jīng: Wǒ chángcháng dǎ lánqiú、dǎ páiqiú，yě xǐhuan yóu yǒng.

大卫: 你 游 得 好 不 好?
Dàwèi: Nǐ yóu de hǎo bu hǎo?

刘京: 我 游 得 不 好，没有 你 游 得 好。明天 有
Liú Jīng: Wǒ yóu de bù hǎo，méiyǒu nǐ yóu de hǎo. Míngtiān yǒu

排球 比赛，你 看 吗?
páiqiú bǐsài，nǐ kàn ma?

大卫： 谁 跟谁 比赛?
Dàwèi： Shuí gēn shuí bǐsài?

刘京： 北京 队 对 广东 队。
Liú Jīng： Běijīng duì duì Guǎngdōng duì.

大卫： 那 一定 很 有 意思。我 很 想 看，票 一定
Dàwèi： Nà yídìng hěn yǒu yìsi. Wǒ hěn xiǎng kàn， piào yídìng

很 难 买 吧?
hěn nán mǎi ba?

刘京： 现在 去买，可能 买 得 到。
Liú Jīng： Xiànzài qù mǎi， kěnéng mǎi de dào.

2……

玛丽： 你 在 画 画儿 吗?
Mǎlì： Nǐ zài huà huàr ma?

大卫： 在 写 毛笔 字，没 画 画儿。
Dàwèi： Zài xiě máobǐ zì， méi huà huàr.

玛丽： 你 写 得 真 不错!
Mǎlì： Nǐ xiě de zhēn búcuò!

大卫： 练了 两 个 星期 了。我 没有 和子 写 得 好。
Dàwèi： Liànle liǎng ge xīngqī le. Wǒ méiyǒu Hézǐ xiě de hǎo.

玛丽： 我 也 很 喜欢 写 毛笔 字，可是 一点儿 也
Mǎlì： Wǒ yě hěn xǐhuan xiě máobǐ zì， kěshì yìdiǎnr yě

不 会 写。
bú huì xiě.

大卫： 没 关系，你 想 学，王 老师 可以 教 你。
Dàwèi： Méi guānxi, nǐ xiǎng xué, Wáng lǎoshī kěyǐ jiāo nǐ.

玛丽： 那 太 好 了。
Mǎlì： Nà tài hǎo le.

大卫： 写 累 了，我 想 休息 一会儿。
Dàwèi： Xiě lèi le, wǒ xiǎng xiūxi yíhuìr.

玛丽： 走，出去 散散 步 吧。
Mǎlì： Zǒu, chūqu sànsan bù ba.

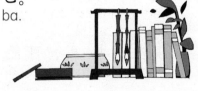

3

Tìhuàn yǔ Kuòzhǎn
替换与扩展 Substitution and Extension

替换 Tìhuàn

1. 你游泳游得好不好？
   Nǐ yóu yǒng yóu de hǎo bu hǎo?

跑步	快	打网球	好
pǎo bù	kuài	dǎ wǎngqiú	hǎo
洗衣服	干净	回答问题	对
xǐ yīfu	gānjìng	huídá wèntí	duì

2. 票一定很难买吧？
   Piào yídìng hěn nán mǎi ba?

毛笔字	写	广东话	懂
máobǐ zì	xiě	Guǎngdōnghuà	dǒng
韩国饭	做	汉语	学
Hánguó fàn	zuò	Hànyǔ	xué

3. 我想休息一会儿。
   Wǒ xiǎng xiūxi yíhuìr.

坐	睡	玩儿	躺
zuò	shuì	wánr	tǎng

扩展 Kuòzhǎn

1. 放 假 的 时候，他 常 去 旅行。
   Fàng jià de shíhou, tā cháng qù lǚxíng.

2. 他 每 天 早上 打 太极拳，晚饭 后 散 步。
   Tā měi tiān zǎoshang dǎ tàijíquán, wǎnfàn hòu sàn bù.

3. 糟糕，我 的 钥匙 丢 了。
   Zāogāo, wǒ de yàoshi diū le.

4

Shēngcí
生词 New Words

1	运动	V., N.	yùndòng	to exercise; sport
2	爬	V.	pá	to climb
3	山	N.	shān	mountain
4	游泳		yóu yǒng	to swim
5	游	V.	yóu	to swim
6	比赛	V., N.	bǐsài	to compete; match
7	队	N.	duì	team
8	毛笔	N.	máobǐ	writing brush
9	篮球	N.	lánqiú	basketball
10	排球	N.	páiqiú	volleyball
11	练	V.	liàn	to practise
12	教	V.	jiāo	to teach, to instruct

13	散步		sàn bù	to take a walk
14	跑步		pǎo bù	to jog
15	网球	N.	wǎngqiú	tennis
16	回答	V.	huídá	answer
17	话	N.	huà	speech
18	躺	V.	tǎng	to lie
19	放假		fàng jià	to be on vacation
20	旅行	V.	lǚxíng	to travel
21	太极拳	N.	tàijíquán	*taijiquan*
22	钥匙	N.	yàoshi	key
23	丢	V.	diū	to lose

**Zhuānmíng
专名　Proper Name**

广东	Guǎngdōng	Guangdong, a province of China

5

**Yǔfǎ
语法 Grammar**

1. 用"有"或"没有"表示比较 Yòng "yǒu" huò "méiyǒu" biǎoshì bǐjiào
The use of "有" and "没有" for comparison

　　动词"有"或其否定式"没有"可用于比较，表示达到或未达到某种程度，这种比较常用于疑问句和否定式。例如：

　　Dòngcí "yǒu" huò qí fǒudìngshì "méiyǒu" kě yòngyú bǐjiào, biǎoshì dádào huò wèi dádào mǒu zhǒng chéngdù, zhè zhǒng bǐjiào cháng yòngyú yíwènjù hé fǒudìngshì. Lìrú:

"有 yǒu" or its negative form "没有 méiyǒu" can be used for a comparison to show the level attained or not yet attained. This kind of comparison is often used in an interrogative sentence and in the negative form, e.g.

（1）你有他高吗？

　　Nǐ yǒu tā gāo ma?

（2）那棵树有五层楼那么高。

　　Nà kē shù yǒu wǔ céng lóu nàme gāo.

（3）广州没有北京冷。

　　Guǎngzhōu méiyǒu Běijīng lěng.

（4）我没有你游得好。

　　Wǒ méiyǒu nǐ yóu de hǎo.

2. 时量补语 Shíliàng bǔyǔ (1)   The complement of duration (1)

时量补语用来说明一个动作或一种状态持续多长时间。例如：

Shíliàng bǔyǔ yònglái shuōmíng yí ge dòngzuò huò yì zhǒng zhuàngtài chíxù duō cháng shíjiān. Lìrú:

A complement of duration is used to indicate the duration of an action or a state, e.g.

（1）我练了两个星期了。

　　Wǒ liànle liǎng ge xīngqī le.

（2）我们休息了十分钟。

　　Wǒmen xiūxi le shí fēnzhōng.

（3）火车开走一刻钟了。

　　Huǒchē kāi zǒu yí kèzhōng le.

（4）玛丽病了两天，没来上课。

　　Mǎlì bìngle liǎng tiān, méi lái shàng kè.

3. 用"吧"的疑问句 Yòng "ba" de yíwènjù

The interrogative sentence with "吧"

如对某事有了一定的估计，但还不能肯定时，就用语气助词"吧"提问。例如：

Rú duì mǒu shì yǒule yídìng de gūjì, dàn hái bù néng kěndìng shí, jiù yòng yǔqì zhùcí "ba" tíwèn. Lìrú:

If one has only a rough knowledge about something but is not yet sure about it, one uses the modal particle "吧 ba" to raise a question, e.g.

（1）你最近很忙吧?

Nǐ zuìjìn hěn máng ba?

（2）票一定很难买吧?

Piào yídìng hěn nán mǎi ba?

（3）你很喜欢打球吧?

Nǐ hěn xǐhuan dǎ qiú ba?

6

Liànxí
练习 Exercises

❶ 给下面的名词配上适当的动词,组成动宾短语，并选择造句

Gěi xiàmian de míngcí pèi shàng shìdàng de dòngcí, zǔchéng dòngbīn duǎnyǔ, bìng xuǎnzé zào jù

Match the following words with proper verbs to form verb-object constructions and then make sentences with some of them.

排球	飞机	事故	礼物	问题	酒
páiqiú	fēijī	shìgù	lǐwù	wèntí	jiǔ
汽车	电话	网球	生词	饭	歌
qìchē	diànhuà	wǎngqiú	shēngcí	fàn	gē

❷ 把下面用"比"的句子改成用"没有"的否定句

Bǎ xiàmian yòng "bǐ" de jùzi gǎi chéng yòng "méiyǒu" de fǒudìng jù

Change the following sentences with "比" into their negative forms with "没有."

（1）他滑冰比我滑得好。

Tā huá bīng bǐ wǒ huá de hǎo.

（2）王兰爬山比张老师爬得快。

Wáng Lán pá shān bǐ Zhāng lǎoshī pá de kuài.

（3）他的手机比我的好。

Tā de shǒujī bǐ wǒ de hǎo.

（4）这张照片比那张漂亮。

    Zhè zhāng zhàopiàn bǐ nà zhāng piàoliang.

3 为词语选择适当的位置 Wèi cíyǔ xuǎnzé shìdàng de wèizhì

Find appropriate places for the words in parentheses.

（1）我累极了，A 想 B 休息 C。（一会儿）

    Wǒ lèi jí le，A xiǎng B xiūxi C. (yíhuìr)

（2）他 A 在北京 B 住 C 了 D 了。（十年）

    Tā A zài Běijīng B zhù C le D le. (shí nián)

（3）他的宿舍离教室很近，A 走 B 就到了 C。（一刻钟）

    Tā de sùshè lí jiàoshì hěn jìn，A zǒu B jiù dào le C. (yí kèzhōng)

（4）他 A 迟到 B 了 C。（十分钟）

    Tā A chídào B le C. (shí fēnzhōng)

4 完成对话 Wánchéng duìhuà　Complete the following conversations.

（1）A：＿＿＿＿＿＿＿＿？

    B：我喜欢打篮球，＿＿＿＿？

    A：我不喜欢打篮球。

    B：＿＿＿＿＿＿？

    A：我喜欢爬山。

    A：＿＿＿＿＿＿＿＿？

    B：Wǒ xǐhuan dǎ lánqiú，＿＿＿＿？

    A：Wǒ bù xǐhuan dǎ lánqiú.

    B：＿＿＿＿＿＿？

    A：Wǒ xǐhuan pá shān.

（2）A：＿＿＿＿＿＿＿＿？

    B：我不喝酒。

    A：＿＿＿＿＿＿？ 少喝一点儿没关系。

    B：我开车，喝酒不安全。

A: _____?

B: Wǒ bù hē jiǔ.

A: _____? Shǎo hē yìdiǎnr méi guānxi.

B: Wǒ kāi chē, hē jiǔ bù ānquán.

（3） A: 你喜欢吃什么饭菜？喜欢不喜欢做饭？

B: _____, _____。

A: Nǐ xǐhuan chī shénme fàncài? Xǐhuan bu xǐhuan zuò fàn?

B: _____, _____.

（4） A: 休息的时候你喜欢做什么？

B: _____。

A: Xiūxi de shíhou nǐ xǐhuan zuò shénme?

B: _____.

（5） A: 你喜欢喝什么？为什么？

B: _____。

A: Nǐ xǐhuan hē shénme? Wèishénme?

B: _____.

5 听述 Tīng shù Listen and retell. 🔍

汉斯有很多爱好（àihào, hobby）。他喜欢运动，冬天滑冰，夏天游泳。到中国以后，他还学会打太极拳了。他画的画儿也不错。他房间里的那张画儿就是他自己画的。可是他也有一个不好的"爱好"，那就是抽烟。现在他身体不太好，要是不抽烟，他的身体一定比现在好。

　　Hànsī yǒu hěn duō àihào. Tā xǐhuan yùndòng, dōngtiān huá bīng, xiàtiān yóu yǒng. Dào Zhōngguó yǐhòu, tā hái xué huì dǎ tàijíquán le. Tā huà de huàr yě búcuò. Tā fángjiān li de nà zhāng huàr jiù shì tā zìjǐ huà de. Kěshì tā yě yǒu yí ge bù hǎo de "àihào", nà jiù shì chōu yān. Xiànzài tā shēntǐ bú tài hǎo, yàoshi bù chōu yān, tā de shēntǐ yídìng bǐ xiànzài hǎo.

6 **语音练习** Yǔyīn liànxí   Phonetic drills

（1）常用音节练习 Chángyòng yīnjié liànxí   Drill on the frequently used syllables

zuo	zuótiān	昨天		jia	huí jiā	回家
	zuǒyòu	左右			jiǎ huà	假话
	zuò liànxí	做练习			fàng jià	放假

（2）朗读会话 Lǎngdú huìhuà   Read aloud the conversation.

A：Nǐ xǐhuan shénme?

B：Wǒ xǐhuan dòngwù.

A：Wǒ yě xǐhuan dòngwù.

B：Shì ma? Nǐ xǐhuan shénme dòngwù?

A：Wǒ xǐhuan xiǎo gǒu, nǐ ne?

B：Wǒ xǐhuan xióngmāo.

Qǐng nǐ màn diǎnr shuō
请你慢点儿说
PLEASE SPEAK SLOWLY

1

Jùzi
句子 Sentences

213	我 的 发音 还 差 得 远 呢。 Wǒ de fāyīn hái chà de yuǎn ne.	My pronunciation is very poor.
214	你 学 汉语 学了 多 长 Nǐ xué Hànyǔ xuéle duō cháng 时间 了? shíjiān le?	How long have you been learning Chinese?
215	你 能 看 懂 中文 报 吗? Nǐ néng kàn dǒng Zhōngwén bào ma?	Can you read Chinese newspapers?
216	听 和 说 比较 难, 看 比较 Tīng hé shuō bǐjiào nán, kàn bǐjiào 容易。 róngyì.	Comparatively speaking, listening and speaking are difficult, while reading is easy.
217	你 慢 点儿 说, 我 听 得 懂。 Nǐ màn diǎnr shuō, wǒ tīng de dǒng.	If you speak slowly, I can understand what you say.
218	你 忙 什么 呢? Nǐ máng shénme ne?	What are you busy with?

219 我 父亲 来 了。我 要 陪 他
Wǒ fùqin lái le. Wǒ yào péi tā

去 旅行。
qù lǚxíng.

My father has come. I am going to travel with him.

220 除了 广州、 上海 以外，
Chúle Guǎngzhōu、 Shànghǎi yǐwài,

我们 还要 去 香港。
wǒmen hái yào qù Xiānggǎng.

We are going to visit Hong Kong apart from Guangzhou and Shanghai.

2 Huìhuà 会话 Conversations

1......

李红： 你 汉语 说 得 很 不错，发音 很 清楚。
Lǐ Hóng： Nǐ Hànyǔ shuō de hěn búcuò, fāyīn hěn qīngchu.

大卫： 哪儿 啊，还 差 得 远 呢。
Dàwèi： Nǎr a, hái chà de yuǎn ne.

李红： 你 学 汉语 学了 多 长 时间 了?
Lǐ Hóng： Nǐ xué Hànyǔ xuéle duō cháng shíjiān le?

大卫： 学了 半 年 了。
Dàwèi： Xuéle bàn nián le.

李红： 你 能 看懂
Lǐ Hóng： Nǐ néng kàn dǒng

中文 报 吗?
Zhōngwén bào ma?

大卫: 不 能。
Dàwèi: Bù néng.

李红: 你 觉得 汉语 难 不 难?
Lǐ Hóng: Nǐ juéde Hànyǔ nán bu nán?

大卫: 听 和 说 比较 难, 看 比较 容易, 可以 查
Dàwèi: Tīng hé shuō bǐjiào nán, kàn bǐjiào róngyì, kěyǐ chá

词典。
cídiǎn.

李红: 我 说 的 话, 你 能 听懂 吗?
Lǐ Hóng: Wǒ shuō de huà, nǐ néng tīng dǒng ma?

大卫: 慢 点儿 说, 我 听 得 懂。
Dàwèi: Màn diǎnr shuō, wǒ tīng de dǒng.

李红: 你 应该 多 跟 中国 人 谈话。
Lǐ Hóng: Nǐ yīnggāi duō gēn Zhōngguó rén tán huà.

大卫: 对, 这样 可以 提高 听 和 说 的 能力。
Dàwèi: Duì, zhèyàng kěyǐ tígāo tīng hé shuō de nénglì.

2......

王兰: 你 忙 什么 呢?
Wáng Lán: Nǐ máng shénme ne?

和子: 我 在 收拾 东西 呢, 我 父亲 来 了, 我 要
Hézǐ: Wǒ zài shōushi dōngxi ne, wǒ fùqin lái le, wǒ yào

陪 他 去 旅行。
péi tā qù lǚxíng.

王兰：
Wáng Lán :
去 哪儿 啊?
Qù nǎr a?

和子：
Hézǐ :
除了 广州、 上海 以外，还要 去 香港。
Chúle Guǎngzhōu、Shànghǎi yǐwài, hái yào qù Xiānggǎng.

我 得 给 他 当 导游。
Wǒ děi gěi tā dāng dǎoyóu.

王兰：
Wáng Lán :
那 你 父亲 一定 很 高兴。
Nà nǐ fùqin yídìng hěn gāoxìng.

和子：
Hézǐ :
麻烦 的 是 广东话、 上海话 我 都 听 不 懂。
Máfan de shì Guǎngdōnghuà、Shànghǎihuà wǒ dōu tīng bu dǒng.

王兰：
Wáng Lán :
没 关系， 商店、 饭店 都 说 普通话。
Méi guānxi, shāngdiàn、fàndiàn dōu shuō pǔtōnghuà.

和子：
Hézǐ :
他们 能 听 懂 我 说 的 话 吗?
Tāmen néng tīng dǒng wǒ shuō de huà ma?

王兰：
Wáng Lán :
没 问题。
Méi wèntí.

和子：
Hézǐ :
那 我 就 放心 了。
Nà wǒ jiù fàng xīn le.

3 Tihuàn yǔ Kuòzhǎn
替换与扩展 Substitution and Extension

▶ 替换 Tihuàn

下午 xiàwǔ	布置好 bùzhì hǎo	教室 jiàoshì
后天 hòutiān	修好 xiū hǎo	电视 diànshì
晚上 wǎnshang	做完 zuò wán	翻译练习 fānyì liànxí

1. 现在你能看懂中文报吗?
   Xiànzài nǐ néng kàn dǒng Zhōngwén bào
   ma?

看影碟(VCD DVD) kàn yǐngdié	一个小时 yí ge xiǎoshí
翻译句子 fānyì jùzi	一个半小时 yí ge bàn xiǎoshí
听音乐 tīng yīnyuè	二十分钟 èrshí fēnzhōng
打字 dǎ zì	半个小时 bàn ge xiǎoshí

2. A: 你学汉语学了多
      Nǐ xué Hànyǔ xuéle duō
      长时间了?
      cháng shíjiān le?
   B: 学了半年了。
      Xuéle bàn nián le.

饺子 jiǎozi	包子 bāozi	吃菜 chī cài
京剧 jīngjù	话剧 huàjù	看杂技 kàn zájì
洗衣机 xǐyījī	电视 diànshì	买冰箱 mǎi bīngxiāng

3. 除了广州、上海以外,
   Chúle Guǎngzhōu、Shànghǎi yǐwài,
   我们还要去香港。
   wǒmen hái yào qù Xiānggǎng.

▶ **扩展 Kuòzhǎn**

1. 汉语 的 发音 不 太 难，语法 也 比较 容易。
   Hànyǔ de fāyīn bú tài nán, yǔfǎ yě bǐjiào róngyì.

2. 我 预习了 一 个 小时 生词， 现在 这些
   Wǒ yùxíle yí ge xiǎoshí shēngcí, xiànzài zhèxiē

   生词 都 记 住 了。
   shēngcí dōu jì zhù le.

4

Shēngcí
生词 New Words

1	发音	N.	fāyīn	pronunciation
2	比较	Adv., V.	bǐjiào	comparatively; to compare
3	父亲	N.	fùqin	father
4	除了…以外		chúle…yǐwài	besides, in addition to, as well as
5	清楚	Adj.	qīngchu	clear
6	查	V.	chá	to check, to look up
7	谈	V.	tán	to talk, to speak
8	提高	V.	tígāo	to raise, to improve
9	能力	N.	nénglì	ability
10	收拾	V.	shōushi	to clean, to tidy up
11	当	V.	dāng	to serve as
12	导游	N.	dǎoyóu	tourist guide
13	普通话	N.	pǔtōnghuà	common speech

14	放心		fàng xīn	set one's mind at rest, feel relieved
15	后天	N.	hòutiān	the day after tmorrow
16	影碟	N.	yǐngdié	video CD (VCD) or digital CD (DVD)
17	小时	N.	xiǎoshí	hour
18	打字		dǎ zì	to type
19	包子	N.	bāozi	steamed stuffed bun
20	洗衣机	N.	xǐyījī	washing machine
21	冰箱	N.	bīngxiāng	refrigerator
22	语法	N.	yǔfǎ	grammar
23	预习	V.	yùxí	to rehearse, to preview
24	记	V.	jì	to memorize

Zhuānmíng
专名 Proper Names

1	广州	Guǎngzhōu	Guangzhou (name of a city)
2	香港	Xiānggǎng	Hong Kong

5 Yǔfǎ 语法 Grammar

1. 时量补语 Shíliàng bǔyǔ (2) The complement of duration (2)

❶ 动词后有时量补语又有宾语时，一般要重复动词，时量补语在第二个动词之后。例如：

Dòngcí hòu yǒu shíliàng bǔyǔ yòu yǒu bīnyǔ shí, yìbān yào chóngfù dòngcí, shíliàng bǔyǔ zài dì-èr ge dòngcí zhīhòu. Lìrú:

When a verb is followed by both a complement of duration and an object, the verb is usually repeated. Moreover, the complement of duration has to be placed after the second occurrence of the verb, e.g.

(1) 他们开会开了半个小时。
Tāmen kāi huì kāile bàn ge xiǎoshí.

(2) 他念生词念了一刻钟。
Tā niàn shēngcí niànle yí kèzhōng.

(3) 他学英语学了两年了。
Tā xué Yīngyǔ xuéle liǎng nián le.

❷ 如果宾语不是人称代词，时量补语也可在动词和宾语之间。时量补语和宾语之间也可以加"的"。例如：

Rúguǒ bīnyǔ bú shì rénchēng dàicí, shíliàng bǔyǔ yě kě zài dòngcí hé bīnyǔ zhījiān. Shíliàng bǔyǔ hé bīnyǔ zhījiān yě kěyǐ jiā "de". Lìrú:

If the object is not a personal pronoun, the complement of duration may be put between the verb and the object. "的 de" may also be inserted between the complement of duration and the object, e.g.

(4) 他每天看半个小时(的)电视。
Tā měi tiān kàn bàn ge xiǎoshí (de) diànshì.

(5) 他跳了半个多小时(的)舞。
Tā tiàole bàn ge duō xiǎoshí (de) wǔ.

(6) 我和妹妹打了二十分钟(的)网球。
Wǒ hé mèimei dǎle èrshí fēnzhōng (de) wǎngqiú.

❸ 如果宾语较复杂或为了强调宾语，也常把宾语提前。例如：

Rúguǒ bīnyǔ jiào fùzá huò wèile qiángdiào bīnyǔ, yě cháng bǎ bīnyǔ tí qián. Lìrú:

The object may also be moved to the beginning of the sentence if it is rather complex or for emphasis, e.g.

(7) 那件漂亮的毛衣他试了半天。
Nà jiàn piàoliang de máoyī tā shìle bàntiān.

(8) 那本小说他看了两个星期。
Nà běn xiǎoshuō tā kànle liǎng ge xīngqī.

2. "除了……以外" chúle…yǐwài The expression "除了…以外"

1 表示在什么之外，还有别的。后边常有"还"、"也"等呼应。例如：

Biǎoshì zài shénme zhīwài, hái yǒu biéde. Hòubian cháng yǒu "hái"、"yě" děng hūyìng. Lìrú:

It means "there is something else besides…" and is often followed by "还 hái," "也 yě," etc., e.g.

（1）和子和他父亲除了去上海以外，还去广州、香港。

　　　Hézǐ hé tā fùqin chúle qù Shànghǎi yǐwài, hái qù Guǎngzhōu、Xiānggǎng.

（2）除了小王以外，小张、小李也会说英语。

　　　Chúle Xiǎo Wáng yǐwài, Xiǎo Zhāng、Xiǎo Lǐ yě huì shuō Yīngyǔ.

2 表示所说的人或事不包括在内。例如：

Biǎoshì suǒ shuō de rén huò shì bù bāokuò zài nèi. Lìrú:

It expresses the exclusion of the aforementioned person or thing, e.g.

（3）这件事除了老张以外，我们都不知道。

　　　Zhè jiàn shì chúle Lǎo Zhāng yǐwài, wǒmen dōu bù zhīdào.

（4）除了大卫以外，我们都去过长城了。

　　　Chúle Dàwèi yǐwài, wǒmen dōu qùguo Chángchéng le.

6 Liànxí 练习 Exercises

1 **熟读下列短语并选择造句** Shú dú xiàliè duǎnyǔ bìng xuǎnzé zào jù
Read the following phrases until fluent and make sentences with some of them.

参观了三小时 cānguānle sān xiǎoshí	玩儿了一（个）下午 wánrle yí (ge) xiàwǔ
修了一会儿 xiūle yíhuìr	疼了一天 téngle yì tiān
翻译了两天 fānyìle liǎng tiān	旅行了一个星期 lǚxíngle yí ge xīngqī
想了几分钟 xiǎngle jǐ fēnzhōng	收拾了半个小时 shōushile bàn ge xiǎoshí

2 用所给的词语造句 Yòng suǒ gěi de cíyǔ zào jù

Make sentences with the given words or expressions.

> 例：开会　一个半小时　→　我们开会开了一个半小时。
>
> kāi huì　yí ge bàn xiǎoshí　→　Wǒmen kāi huì kāile yí ge bàn xiǎoshí.

（1）听音乐　　　二十分钟
　　　tīng yīnyuè　　èrshí fēnzhōng

（2）跳舞　　　　半个小时
　　　tiào wǔ　　　bàn ge xiǎoshí

（3）坐火车　　　七个小时
　　　zuò huǒchē　　qī ge xiǎoshí

（4）找钥匙　　　好几分钟
　　　zhǎo yàoshi　　hǎo jǐ fēnzhōng

3 仿照例子改写句子 Fǎngzhào lìzi gǎixiě jùzi

Rewrite the sentences following the model.

> 例：我喜欢小狗，还喜欢熊猫。→
>
> Wǒ xǐhuan xiǎo gǒu, hái xǐhuan xióngmāo. →
>
> 除了小狗以外，我还喜欢熊猫。
>
> Chúle xiǎo gǒu yǐwài, wǒ hái xǐhuan xióngmāo.

（1）我每天都散步，还打太极拳。
　　　Wǒ měi tiān dōu sàn bù, hái dǎ tàijíquán.

（2）他会说英语，还会说汉语。
　　　Tā huì shuō Yīngyǔ, hái huì shuō Hànyǔ.

（3）在北京他去过长城，没去过别的地方。
　　　Zài Běijīng tā qùguo Chángchéng, méi qùguo biéde dìfang.

（4）我们班大卫会划船，别的人不会划船。
　　　Wǒmen bān Dàwèi huì huá chuán, biéde rén bú huì huá chuán.

4 按照实际情况回答下列问题 Ànzhào shíjì qíngkuàng huídá xiàliè wèntí
Answer the following questions according to actual situations.

（1）你什么时候来北京的？来北京多长时间了？
　　　Nǐ shénme shíhou lái Běijīng de? Lái Běijīng duō cháng shíjiān le?

（2）来中国以前你学过汉语吗？学了多长时间？
　　　Lái Zhōngguó yǐqián nǐ xuéguo Hànyǔ ma? Xuéle duō cháng shíjiān?

（3）每星期你们上几天课？
　　　Měi xīngqī nǐmen shàng jǐ tiān kè?

（4）你每天运动吗？做什么运动？运动多长时间？
　　　Nǐ měi tiān yùndòng ma? Zuò shénme yùndòng? Yùndòng duō cháng shíjiān?

（5）每天你几点睡觉？几点起床？大概睡多长时间？
　　　Měi tiān nǐ jǐ diǎn shuì jiào? Jǐ diǎn qǐ chuáng? Dàgài shuì duō cháng shíjiān?

5 完成对话 Wánchéng duìhuà　Complete the following conversation.

A：昨天的电影你看了吗？

B：＿＿＿＿＿＿＿＿＿＿＿。

A：＿＿＿＿＿＿＿＿＿＿＿？

B：听不懂，说得太快。

A：我也是，＿＿＿＿＿＿＿＿＿＿＿。（要是……能……）

B：我们还要多练习听和说。

A：Zuótiān de diànyǐng nǐ kànle ma?

B：＿＿＿＿＿＿＿＿＿＿＿.

A：＿＿＿＿＿＿＿＿＿＿＿?

B：Tīng bu dǒng, shuō de tài kuài.

A：Wǒ yě shì, ＿＿＿＿＿＿＿＿＿＿＿. (yàoshi…néng…)

B：Wǒmen hái yào duō liànxí tīng hé shuō.

6 听述 Tīng shù Listen and retell.

有一个小孩儿学认（rèn，to recognize）字。老师在他的本子上写"人"字，他学会了。第二天，老师见到他，在地上写了个"人"字，写得很大，他不认识了。老师说："这不是'人'字吗？你怎么忘了？"他说："这个'人'比昨天那个'人'大多了，我不认识它。"

Yǒu yí ge xiǎoháir xué rèn zì. Lǎoshī zài tā de běnzi shang xiě "rén" zì, tā xué huì le. Dì-èr tiān, lǎoshī jiàn dào tā, zài dìshang xiěle ge "rén" zì, xiě de hěn dà, tā bú rènshi le. Lǎoshī shuō: "Zhè bú shì 'rén' zì ma? Nǐ zěnme wàng le?" Tā shuō: "Zhège 'rén' bǐ zuótiān nàge 'rén' dà duō le, wǒ bú rènshi tā."

7 语音练习 Yǔyīn liànxí   Phonetic drills

（1）常用音节练习 Chángyòng yīnjié liànxí   Drill on the frequently used syllables

xian	xiānsheng	先生	quan	yuánquān	圆圈
	wēixiǎn	危险		tàijíquán	太极拳
	xiànzài	现在		quàngào	劝告

（2）朗读会话 Lǎngdú huìhuà   Read aloud the conversation.

A：Nā, ná, nǎ, nà.

B：Nǐ liànxí fāyīn ne?

A：Shì a, wǒ juéde fāyīn yǒudiǎnr nán.

B：Nǐ fāyīn hěn qīngchu.

A：Hái chà de yuǎn ne.

B：Yàoshi nǐ měi tiān liànxí, jiù néng xué de hěn hǎo.

〔阿里(Ālǐ，Ali)、小王跟小李都很喜欢旅行,他们约好今天去天津(Tiānjīn，Tianjin) 玩儿。现在阿里和小王在火车站等小李。〕

阿里：小李怎么还不来？

小王：是不是他忘了？

阿里：不会的。昨天我给他打电话，说得很清楚，告诉他十点五十开车，今天我们在这儿等他。

小王：可能病了吧？

阿里：也可能有什么事，不能来了。

小王：火车马上开了，我们也不去了，回家吧。

阿里：去看看小李，问问他怎么回事 (zěnme huí shì, what's all this about)。

〔Ālǐ、Xiǎo Wáng gēn Xiǎo Lǐ dōu hěn xǐhuan lǚxíng， tāmen yuē hǎo jīntiān qù Tiānjīn wánr. Xiànzài Ālǐ hé Xiǎo Wáng zài huǒchēzhàn děng Xiǎo Lǐ.〕

Ālǐ： Xiǎo Lǐ zěnme hái bù lái?

Xiǎo Wáng： Shì bu shì tā wàng le?

Ālǐ： Bú huì de. Zuótiān wǒ gěi tā dǎ diànhuà, shuō de hěn qīngchu, gàosu tā shí diǎn wǔshí kāi chē, jīntiān wǒmen zài zhèr děng tā.

Xiǎo Wáng： Kěnéng bìng le ba?

Ālǐ： Yě kěnéng yǒu shénme shì, bù néng lái le.

Xiǎo Wáng： Huǒchē mǎshàng kāi le, wǒmen yě bú qù le, huí jiā ba.

Ālǐ： Qù kànkan Xiǎo Lǐ, wènwen tā zěnme huí shì.

〔小李正在宿舍里睡觉,阿里和小王进来。〕

阿里：小李，醒醒 (xǐngxing, to wake up)！

小王：我说得不错吧，他真病了。

小李：谁病了？我没病。

阿里：那你怎么不去火车站呀 (ya, *a modal particle*)？

小李：怎么没去呀，今天早上四点我就起床了，到火车站的时候才四点半。等了你们半天，你们也不来，我就回来了。我又累又困 (kùn, *sleepy*)，就睡了。

小王：我们的票是十点五十的，你那么早去做什么？

小李：什么？十点五十？阿里电话里说四点五十。

小王：我知道了，阿里说"十"和"四"差不多 (chàbuduō, *about the same*)。

小李：啊！我听错 (cuò, *wrong*) 了。

阿里：真对不起，我发音不好，让你白跑一趟 (bái pǎo yí tàng, *to make a fruitless trip*)。

小李：没什么，我们都白跑了一趟。

〔Xiǎo Lǐ zhèngzài sùshè li shuì jiào, Ālǐ hé Xiǎo Wáng jìnlai.〕

　　　　Ālǐ: Xiǎo Lǐ, xǐngxing!

Xiǎo Wáng: Wǒ shuō de bú cuò ba, tā zhēn bìng le.

　Xiǎo Lǐ: Shuí bìng le? Wǒ méi bìng.

　　　　Ālǐ: Nà nǐ zěnme bú qù huǒchēzhàn ya?

　Xiǎo Lǐ: Zěnme méi qù ya, jīntiān zǎoshang sì diǎn wǒ jiù qǐ chuáng le, dào huǒchēzhàn de shíhou cái sì diǎn bàn. Děngle nǐmen bàntiān, nǐmen yě bù lái, wǒ jiù huílai le. Wǒ yòu lèi yòu kùn, jiù shuì le.

Xiǎo Wáng: Wǒmen de piào shì shí diǎn wǔshí de, nǐ nàme zǎo qù zuò shénme?

　Xiǎo Lǐ: Shénme? Shí diǎn wǔshí? Ālǐ diànhuà li shuō sì diǎn wǔshí.

Xiǎo Wáng: Wǒ zhīdào le, Ālǐ shuō "shí" hé "sì" chàbuduō.

　Xiǎo Lǐ: À! Wǒ tīng cuò le.

　　　　Ālǐ: Zhēn duìbuqǐ, wǒ fāyīn bù hǎo, ràng nǐ bái pǎo yí tàng.

　Xiǎo Lǐ: Méi shénme, wǒmen dōu bái pǎo le yí tàng.

二、语法 Grammar

几种表示比较的方法 Jǐ zhǒng biǎoshì bǐjiào de fāngfǎ
Some ways of making a comparison

1 用副词"更"、"最"表示比较 Yòng fùcí "gèng"、"zuì" biǎoshì bǐjiào
Using the adverbs "更" and "最"

（1）他汉语说得很好，他哥哥说得更好。
Tā Hànyǔ shuō de hěn hǎo, tā gēge shuō de gèng hǎo.

（2）这次考试他的成绩最好。
Zhè cì kǎoshì tā de chéngjì zuì hǎo.

2 用"有"表示比较 Yòng "yǒu" biǎoshì bǐjiào　Using "有"

（1）你弟弟有你这么高吗？
Nǐ dìdi yǒu nǐ zhème gāo ma?

（2）这种苹果没有那种好吃。
Zhè zhǒng píngguǒ méiyǒu nà zhǒng hǎochī.

（3）我没有他唱得好。（我唱得没有他好。）（我唱歌唱得没有他好。）
Wǒ méiyǒu tā chàng de hǎo. (Wǒ chàng de méiyǒu tā hǎo.)　(Wǒ chàng gē chàng de méiyǒu tā hǎo.)

3 用"跟……一样"表示比较 Yòng "gēn…yíyàng" biǎoshì bǐjiào
Using "跟…一样"

（1）今天的天气跟昨天一样。
Jīntiān de tiānqì gēn zuótiān yíyàng.

（2）我买的毛衣跟你的一样贵。
Wǒ mǎi de máoyī gēn nǐ de yíyàng guì.

以上三种方法都能表示异同或差别，但不能表示具体的差别。

　Yǐshàng sān zhǒng fāngfǎ dōu néng biǎoshì yìtóng huò chābié, dàn bù néng biǎoshì jùtǐ de chābié.

The three above-mentioned ways can all be used to show similarities and differences, but not specific differences.

④ 用"比"表示比较 Yòng "bǐ" biǎoshì bǐjiào　Using "比"

（1）今天比昨天热。
　　　Jīntiān bǐ zuótiān rè.

（2）我的自行车比他的新一点儿。
　　　Wǒ de zìxíngchē bǐ tā de xīn yìdiǎnr.

（3）他买的词典比我买的便宜两块钱。
　　　Tā mǎi de cídiǎn bǐ wǒ mǎi de piányi liǎng kuài qián.

（4）他打排球比我打得好得多。（他打排球打得比我好得多。）
　　　Tā dǎ páiqiú bǐ wǒ dǎ de hǎo de duō. (Tā dǎ páiqiú dǎ de bǐ wǒ hǎo de duō.)

用"比"来进行比较，不仅能指出有差别，而且还能表示出有多少差别。

Yòng "bǐ" lái jìnxíng bǐjiào, bùjǐn néng zhǐchū yǒu chābié, érqiě hái néng biǎoshì chū yǒu duōshao chābié.

"比 bǐ" is used to indicate not only the difference between two persons or things, but also the extent to which they differ.

Liànxí
三、练习 Exercises

① 按照实际情况回答下列问题 Ànzhào shíjì qíngkuàng huídá xiàliè wèntí
Answer the following questions according to actual situations.

（1）你有什么爱好？你最喜欢做什么？
　　　Nǐ yǒu shénme àihào? Nǐ zuì xǐhuan zuò shénme?

（2）你学过什么外语？你觉得难不难？
　　　Nǐ xuéguo shénme wàiyǔ? Nǐ juéde nán bu nán?

（3）你在中国旅行过吗？除了普通话以外，哪儿的话容易懂？哪儿的话不容易懂？
　　　Nǐ zài Zhōngguó lǚxíngguo ma? Chúle pǔtōnghuà yǐwài, nǎr de huà róngyì dǒng? Nǎr de huà bù róngyì dǒng?

（4）你住的地方跟北京的天气一样不一样？北京的天气你习惯不习惯？
　　　Nǐ zhù de dìfang gēn Běijīng de tiānqì yíyàng bu yíyàng? Běijīng de tiānqì nǐ xíguàn bu xíguàn?

（5）一年中你喜欢春天、夏天，还是喜欢秋天、冬天？为什么？

    Yì nián zhōng nǐ xǐhuan chūntiān、xiàtiān，háishi xǐhuan qiūtiān、dōngtiān？Wèishénme？

❷ 会话 Huìhuà　Conversational drills

（1）祝贺、祝愿（生日、结婚、节日、毕业）

    Zhùhè、zhùyuàn (shēngrì、jié hūn、jiérì、bì yè)

    Congratulation and wish (birthday, marriage, festival, graduation)

祝你……好（愉快、幸福）！	谢谢！
Zhù nǐ…hǎo (yúkuài、xìngfú)!	Xièxie!
祝贺你（了）！	谢谢你！
Zhùhè nǐ (le)!	Xièxie nǐ!
我们给你祝贺生日来了！	谢谢大家！
Wǒmen gěi nǐ zhùhè shēngrì lai le!	Xièxie dàjiā!
祝你学习（工作）顺利！	多谢朋友们！
Zhù nǐ xuéxí (gōngzuò) shùnlì!	Duō xiè péngyoumen!

（2）劝告（别喝酒、别急、别不好意思）Quàngào (bié hē jiǔ、bié jí、bié bù hǎoyìsi)

    Persuasion (don't drink, don't worry, don't be shy)

你开车，别喝酒。	别急，你的病会好的。
Nǐ kāi chē, bié hē jiǔ.	Bié jí, nǐ de bìng huì hǎo de.
他刚睡，别说话。	学汉语要多说，别不好意思。
Tā gāng shuì, bié shuō huà.	Xué Hànyǔ yào duō shuō, bié bù hǎoyìsi.

（3）爱好（运动、音乐、美术……）Àihào (yùndòng、yīnyuè、měishù…)

    Hobbies (sports, music, fine arts...)

你喜欢什么？
Nǐ xǐhuan shénme?

你喜欢做什么？
Nǐ xǐhuan zuò shénme?

你最喜欢什么？
Nǐ zuì xǐhuan shénme?

3 **完成对话** Wánchéng duìhuà   Complete the following conversation.

A：你学了多长时间汉语了？

B：_____。

A：你觉得听和说哪个难？

B：_____。

A：写呢？

B：_____。

A：现在你能看懂中文报纸吗？

B：_____。

A：Nǐ xuéle duō cháng shíjiān Hànyǔ le?

B：_____.

A：Nǐ juéde tīng hé shuō nǎge nán?

B：_____.

A：Xiě ne?

B：_____.

A：Xiànzài nǐ néng kàn dǒng Zhōngwén bàozhǐ ma?

B：_____.

4 **语音练习** Yǔyīn liànxí   Phonetic drills

（1）声调练习：第三声＋第四声 Shēngdiào liànxí：dì-sān shēng ＋ dì-sì shēng
Drill on tones: 3rd tone ＋ 4th tone

kǒushì   口试

wǒ qù kǒushì   我去口试

wǔ hào wǒ qù kǒushì   五号我去口试

（2）朗读会话 Lǎngdú huìhuà   Read aloud the conversation.

A：Nǐ zhīdào ma? Shànghǎihuà li bù shuō "wǒmen", shuō "ālā".

B：Ò, yǒu yìsi, hé pǔtōnghuà zhēn bù yíyàng.

A：Hěn duō fāngyán wǒ yě tīng bu dǒng.

B：Suǒyǐ dōu yào xué pǔtōnghuà, shì ba?

A：Nǐ shuō de hěn duì.

四、阅读短文 Reading Passage

　　小张吃了晚饭回到宿舍，刚要打开电视机，就听见楼下有人叫他。他打开窗户往下看，是小刘叫他。

　　小刘给他一张电影票，让他星期日八点去看电影，说好在电影院门口见面。

　　星期天到了。小张先去看了一位朋友，下午去商店买了一些东西。七点四十到电影院。他没看见小刘，就在门口等。

　　差五分八点，电影就要开始了，可是小刘还没来。小张想，小刘可能有事不来了，就一个人进电影院去了。电影院的人对小张说："八点没有电影，是不是你弄错(nòng cuò, to make a mistake)了？"小张一看电影票，那上面写的是上午八点。小张想：我太马虎了，要是看看票，或者(huòzhě, or)问问小刘就好了。

　　Xiǎo Zhāng chīle wǎnfàn huí dào sùshè, gāng yào dǎ kāi diànshìjī, jiù tīng jiàn lóu xià yǒu rén jiào tā. Tā dǎ kāi chuānghu wǎng xià kàn, shì Xiǎo Liú jiào tā.

　　Xiǎo Liú gěi tā yì zhāng diànyǐngpiào, ràng tā xīngqīrì bā diǎn qù kàn diànyǐng, shuō hǎo zài diànyǐngyuàn ménkǒu jiàn miàn.

　　Xīngqītiān dào le. Xiǎo Zhāng xiān qù kànle yí wèi péngyou, xiàwǔ qù shāngdiàn mǎile yìxiē dōngxi. Qī diǎn sìshí dào diànyǐngyuàn. Tā méi kàn jiàn Xiǎo Liú, jiù zài ménkǒu děng.

　　Chà wǔ fēn bā diǎn, diànyǐng jiù yào kāishǐ le, kěshì Xiǎo Liú hái méi lái. Xiǎo Zhāng xiǎng, Xiǎo Liú kěnéng yǒu shì bù lái le, jiù yí ge rén jìn diànyǐngyuàn qu le. Diànyǐngyuàn de rén duì Xiǎo Zhāng shuō："Bā diǎn méiyǒu diànyǐng, shì bu shì nǐ nòng cuò le?" Xiǎo Zhāng yí kàn diànyǐngpiào, nà shàngmian xiě de shì shàngwǔ bā diǎn. Xiǎo Zhāng xiǎng：Wǒ tài mǎhu le, yàoshi kànkan piào, huòzhě wènwen Xiǎo Liú jiù hǎo le.

Nàr de fēngjǐng měi jí le

那儿的风美极了

THE SCENERY IS VERY BEAUTIFUL THERE

1 Jùzi
句子 Sentences

221 中国 的 名胜 古迹多
Zhōngguó de míngshèng gǔjì duō

得 很。
de hěn.

There are a great many scenic spots and historical sites in China.

222 你 说 吧，我 听 你 的。①
Nǐ shuō ba, wǒ tīng nǐ de.

Please go ahead. I'll follow your idea.

223 从 这儿 到 桂林 坐 火车
Cóng zhèr dào Guìlín zuò huǒchē

要 坐 多 长 时间？
yào zuò duō cháng shíjiān?

How long will it take to go from here to Guilin by train?

224 七 点 有 电影，现在 去
Qī diǎn yǒu diànyǐng, xiànzài qù

来得及 来不及？
láidejí láibují?

There'll be a film at 7 o'clock. Can we get there in time if we leave right now?

225 我们 看 电影 去。
Wǒmen kàn diànyǐng qu.

Let's go and see a film.

226 我 想 买 些 礼物 寄 回 家
Wǒ xiǎng mǎi xiē lǐwù jì huí jiā

去。
qu.

I want to buy some presents to mail back home.

227 上海 的 东西 比 这儿 多
Shànghǎi de dōngxi bǐ zhèr duō

得 多。
de duō.

There are much more commodities in Shanghai than (in) here.

228 你 不 是 要 去 豫 园 游览
Nǐ bú shì yào qù Yù Yuán yóulǎn

吗?
ma?

You want to visit the Yuyuan Park, don't you?

Huìhuà
会话 Conversations

1......

大卫 快 放假 了，你 想 不 想 去 旅行?
Dàwèi: Kuài fàng jià le, nǐ xiǎng bu xiǎng qù lǚxíng?

玛丽 当然 想。
Mǎlì: Dāngrán xiǎng.

大卫: 中国 的 名胜 古迹 多 得 很，去 哪儿 呢?
Dàwèi: Zhōngguó de míngshèng gǔjì duō de hěn, qù nǎr ne?

玛丽：你 说 吧，听 你 的。
Mǎlì： Nǐ shuō ba， tīng nǐ de.

大卫：先 去 桂林 吧，那儿 的 风景 美 极了！
Dàwèi： Xiān qù Guìlín ba， nàr de fēngjǐng měi jí le!

玛丽：从 这儿 到 桂林 坐 火车 要 坐 多 长 时间？
Mǎlì： Cóng zhèr dào Guìlín zuò huǒchē yào zuò duō cháng shíjiān?

大卫：大概 得 二十 多 个 小时。我们 在 桂林 玩儿
Dàwèi： Dàgài děi èrshí duō ge xiǎoshí. Wǒmen zài Guìlín wánr

三 四 天，然后 去 上海。
sān sì tiān， ránhòu qù Shànghǎi.

玛丽：这个 计划 不错，就 这么 办 吧。七点 有
Mǎlì： Zhège jìhuà búcuò， jiù zhème bàn ba. Qī diǎn yǒu

电影， 现在 去 来得及 来不及？
diànyǐng， xiànzài qù láidejí láibují?

大卫：来得及。
Dàwèi： Láidejí.

玛丽：我们 看 电影 去 吧。
Mǎlì： Wǒmen kàn diànyǐng qu ba.

大卫：走 吧。
Dàwèi： Zǒu ba.

那儿的风景美极了 **131**

和子：　上海　　是 中国　　最 大 的 城市。
Hézǐ：　Shànghǎi shì Zhōngguó zuì dà de chéngshì.

王兰：　对，上海　　的 东西 比 这儿 多 得 多。
Wáng Lán：　Duì, Shànghǎi de dōngxi bǐ zhèr duō de duō.

和子：　去 上海　　的 时候，我 想　买 些 礼物 寄 回 家
Hézǐ：　Qù Shànghǎi de shíhou, wǒ xiǎng mǎi xiē lǐwù jì huí jiā

　　　去。你 觉得 上海　　哪儿 最 热闹？
　　　qu. Nǐ juéde Shànghǎi nǎr   zuì rènao?

王兰：　南京　路。那儿 有 各 种 各 样 的　商店，　买
Wáng Lán：　Nánjīng Lù. Nàr yǒu gè zhǒng gè yàng de shāngdiàn, mǎi

　　　东西 非常　　方便。
　　　dōngxi fēicháng fāngbiàn.

和子：　听说　　上海 的 小吃 也 很 有名。
Hézǐ：　Tīngshuō Shànghǎi de xiǎochī yě hěn yǒumíng.

王兰：　你 不 是 要 去 豫 园　游览 吗? 顺便　　可以
Wáng Lán：　Nǐ bú shì yào qù Yù Yuán yóulǎn ma? Shùnbiàn kěyǐ

　　　尝尝　　那儿 的 小吃。对 了[2],
　　　chángchang nàr de xiǎochī. Duì le,

　　　你 还 可以 去 参观
　　　nǐ hái kěyǐ qù cānguān

　　　一下儿 浦东　开发区。
　　　yíxiàr Pǔdōng Kāifāqū.

Zhùshì
注释：Notes

① "你说吧，我听你的。" "Nǐ shuō ba, wǒ tīng nǐ de."

这句话的意思是"你说你的意见吧，我按你说的去做"。当无条件地同意对方的意见时，就可以这样说。

Zhè jù huà de yìsi shì "nǐ shuō nǐ de yìjiàn ba, wǒ àn nǐ shuō de qù zuò". Dāng wú tiáojiàn de tóngyì duìfāng de yìjiàn shí, jiù kěyǐ zhèyàng shuō.

This sentence means "Speak your mind, and I shall do whatever you tell me to" and is used when you are prepared to agree to whatever the other party is going to say.

② "对了" "duì le"

在口语中，当说话人忽然想起应该做某事或要补充说明某事时，就说"对了"。

Zài kǒuyǔ zhōng, dāng shuōhuàrén hūrán xiǎng qǐ yīnggāi zuò mǒu shì huò yào bǔchōng shuōmíng mǒu shì shí, jiù shuō "duì le".

In everyday conversation, when a speaker suddenly thinks of something he should do or add, he says "对了" (Oh yes, ...).

3 Tìhuàn yǔ Kuòzhǎn
替换与扩展 Substitution and Extension

替换 Tìhuàn

1. 我们看电影去。
   Wǒmen kàn diànyǐng qu.

开会 kāi huì	参观博物馆 cānguān bówùguǎn
游览名胜古迹 yóulǎn míngshèng gǔjì	看话剧 kàn huàjù
吃小吃 chī xiǎochī	上保险 shàng bǎoxiǎn

2. 坐火车要坐多长时间？
   Zuò huǒchē yào zuò duō cháng shíjiān?

| 坐船 zuò chuán | 坐飞机 zuò fēijī |
| 骑车 qí chē | 办手续 bàn shǒuxù |

3. 我想买些<u>礼物</u><u>寄</u>回家去。
Wǒ xiǎng mǎi xiē lǐwù jì huí jiā qu.

菜 cài	送 sòng	药 yào	寄 jì
水果 shuǐguǒ	带 dài	小吃 xiǎochī	拿 ná

扩展 Kuòzhǎn

A: 我 的 圆珠笔 找 不 到 了。
Wǒ de yuánzhūbǐ zhǎo bu dào le.

B: 那 不 是 你 的 圆珠笔 吗?
Nà bú shì nǐ de yuánzhūbǐ ma?

A: 啊, 找 到 了。
À, zhǎo dào le.

4

生词 Shēngcí New Words

1	名胜古迹		míngshèng gǔjì	scenic spots and historical sites
2	来得及	V.	láidejí	to be able to do something in time
3	来不及	V.	láibují	too late to do..., to have no time to...
4	游览	V.	yóulǎn	to go sightseeing
5	风景	N.	fēngjǐng	scenery
6	然后	Conj	ránhòu	then
7	计划	N., V.	jìhuà	plan; to plan
8	办	V.	bàn	to do, to make
9	城市	N.	chéngshì	city
10	热闹	Adj.	rènao	bustling with excitement, hilarious

11	各	Pron.	gè	every, each
12	非常	Adv.	fēicháng	very, most
13	小吃	N.	xiǎochī	snack
14	有名	Adj.	yǒumíng	famous, well-known
15	顺便	Adv.	shùnbiàn	by the way, at one's convenience
16	开发	V.	kāifā	to develop
17	区	N.	qū	zone, district
18	博物馆	N.	bówùguǎn	museum
19	上保险		shàng bǎoxiǎn	to buy insurance, to insure
20	手续	N.	shǒuxù	procedure
21	水果	N.	shuǐguǒ	fruit
22	圆珠笔	N.	yuánzhūbǐ	ballpoint

Zhuānmíng
专名 Proper Names

1	桂林	Guìlín	Guilin (name of a city)
2	南京路	Nánjīng Lù	Nanjing Road
3	豫园	Yù Yuán	the Yuyuan Park
4	浦东	Pǔdōng	Pudong (name of a development zone in Shanghai)

5 语法 Grammar
Yǔfǎ

1. 趋向补语 Qūxiàng bǔyǔ(3)   The directional complement(3)

❶ 动词 "上"、"下"、"进"、"出"、"回"、"过" 等后面加上 "来" 或 "去"，以

及动词加上"起来",可作其他动词的补语,表示动作的方向。这种趋向补语叫复合趋向补语。例如:

Dòngcí "shàng"、"xià"、"jìn"、"chū"、"huí"、"guò" děng hòumian jiā shàng "lái" huò "qù", yǐjí dòngcí jiā shàng "qǐlái" kě zuò qítā dòngcí de bǔyǔ, biǎoshì dòngzuò de fāngxiàng. Zhè zhǒng qūxiàng bǔyǔ jiào fùhé qūxiàng bǔyǔ. Lìrú:

When the verb "上 shàng," "下 xià," "进 jìn," "出 chū," "回 huí" or "过 guò" takes "来 lái" or "去 qù" after it and a verb takes "起来 qǐlái," it may serve as the complement of another verb to express the direction of the action. Such a directional complement is called the compound directional complement, e.g.

> (1) 他从教室走出来了。
> Tā cóng jiàoshì zǒu chulai le.

> (2) 他想买些东西寄回去。
> Tā xiǎng mǎi xiē dōngxi jì huiqu.

❷ 复合趋向补语中的"来"、"去"所表示的方向与说话人(或所谈论的事物)之间的关系,表示处所的宾语的位置都与简单趋向补语相同。例如:

Fùhé qūxiàng bǔyǔ zhōng de "lái"、"qù" suǒ biǎoshì de fāngxiàng yǔ shuōhuàrén (huò suǒ tánlùn de shìwù) zhījiān de guānxì, biǎoshì chùsuǒ de bīnyǔ de wèizhì dōu yǔ jiǎndān qūxiàng bǔyǔ xiāngtóng. Lìrú:

The direction of motion indicated by "来 lái" or "去 qù" in a compound directional complement with relation to the speaker (or something in question) and the position of the object of locality are the same as those of a simple directional complement, e.g.

> (3) 上课了,老师走进教室来了。
> Shàng kè le, lǎoshī zǒu jìn jiàoshì lai le.

> (4) 那些照片都寄回国去了。
> Nàxiē zhàopiàn dōu jì huí guó qu le.

2. "不是……吗?""Bú shì…ma?"

The rhetorical question with "不是…吗?"

"不是……吗?"构成的反问句,用来表示肯定,并有强调的意思。例如:

"Bú shì…ma?" gòuchéng de fǎnwènjù, yònglái biǎoshì kěndìng, bìng yǒu qiángdiào de yìsi. Lìrú:

The rhetorical question with "不是……吗? bú shì…ma?" is used to express affirmation with an emphatic tone, e.g.

（1）你不是要去旅行吗？（你要去旅行）

Nǐ bú shì yào qù lǚxíng ma? (Nǐ yào qù lǚxíng.)

（2）这个房间不是很干净吗？（这个房间很干净）

Zhège fángjiān bú shì hěn gānjìng ma? (Zhège fángjiān hěn gānjìng.)

6 Liànxí
练习 Exercises

1 选择适当的动词组成动宾结构并造句

Xuǎnzé shìdàng de dòngcí zǔchéng dòngbīn jiégòu bìng zào jù

Choose proper verbs to form verb-object constructions and make sentences.

例：字 zì   A. 写 xiě   那个孩子正在写字。
          B. 画 huà   Nàge háizi zhèngzài xiě zì.

（1）名胜古迹   A. 游览   （2）风景   A. 参观
   míngshèng gǔjì   yóulǎn   fēngjǐng   cānguān
              B. 旅行   B. 看
                 lǚxíng   kàn

（3）手续   A. 做   （4）能力   A. 提高
   shǒuxù   zuò   nénglì   tígāo
              B. 办   B. 练好
                 bàn   liàn hǎo

（5）电影   A. 演   （6）自行车   A. 坐
   diànyǐng   yǎn   zìxíngchē   zuò
              B. 开   B. 骑
                 kāi   qí

2 用动词及趋向补语完成句子 Yòng dòngcí jí qūxiàng bǔyǔ wánchéng jùzi

Complete the sentences with the verbs given in parentheses and directional complements.

（1）注意，前边_____一辆汽车。（开）

   Zhùyì, qiánbian_____yí liàng qìchē. (kāi)

（2）楼下有人找你，你快_____吧。（下）

Lóu xià yǒu rén zhǎo nǐ, nǐ kuài_____ba.（xià）

（3）下课了，我们的老师_____了。（走）

Xià kè le, wǒmen de lǎoshī_____le.（zǒu）

（4）山上的风景很好，你们快_____吧。（爬）

Shān shàng de fēngjǐng hěn hǎo, nǐmen kuài_____ba.（pá）

❸ 仿照例子，把下面的句子改成疑问句

Fǎngzhào lìzi, bǎ xiàmian de jùzi gǎi chéng yíwènjù

Change the following sentences into questions following the model.

> 例：昨天我们跳舞跳了两个小时。
>
> Zuótiān wǒmen tiào wǔ tiàole liǎng ge xiǎoshí.
>
> → 昨天你们跳舞跳了几个小时？
>
> → Zuótiān nǐmen tiào wǔ tiàole jǐ ge xiǎoshí?
>
> 或：昨天你们跳舞跳了多长时间？
>
> Huò: Zuótiān nǐmen tiào wǔ tiàole duō cháng shíjiān?

（1）我来北京的时候，坐飞机坐了十二个小时。

Wǒ lái Běijīng de shíhou, zuò fēijī zuòle shí'èr ge xiǎoshí.

（2）昨天我爬山爬了三个小时。

Zuótiān wǒ pá shān pále sān ge xiǎoshí.

（3）今天早上我吃饭吃了一刻钟。

Jīntiān zǎoshang wǒ chī fàn chīle yí kèzhōng.

（4）从这儿到北海，骑车要骑一个多小时。

Cóng zhèr dào Běihǎi, qí chē yào qí yí ge duō xiǎoshí.

（5）昨天我们划船划了两个小时。

Zuótiān wǒmen huá chuán huále liǎng ge xiǎoshí.

4 说话 Shuō huà   Talk about the following topic.

介绍一个你游览过的名胜古迹。

Jièshào yí ge nǐ yóulǎnguo de míngshèng gǔjì.

提示：风景怎么样？有什么有名的东西？你最喜欢什么？游览了多长
        时间？

Tíshì: Fēngjǐng zěnmeyàng? Yǒu shénme yǒumíng de dōngxi? Nǐ zuì xǐhuan
        shénme? Yóulǎnle duō cháng shíjiān?

Talk about one of the scenic spots and historical sites you've visited.

Suggested points: What about the scenery? What is it famous for?

                What do you like best? How long did you stay there?

5 听述 Tīng shù   Listen and retell.

　　我喜欢旅行，旅行可以游览名胜古迹。旅行还是一种学习汉语的
好方法（fāngfǎ, method）。在学校，我习惯听老师说话，换一个人就不
习惯了。可是旅行的时候要跟各种各样的人说话，要问路、要参观、
要买东西……这是学习汉语的好机会(jīhuì, opportunity)。放假的时候我
就去旅行，提高我的听说能力。

　　Wǒ xǐhuan lǚxíng, lǚxíng kěyǐ yóulǎn míngshèng gǔjì. Lǚxíng hái shì yì
zhǒng xuéxí Hànyǔ de hǎo fāngfǎ. Zài xuéxiào, wǒ xíguàn tīng lǎoshī shuō
huà, huàn yí ge rén jiù bù xíguàn le. Kěshì lǚxíng de shíhou yào gēn gè zhǒng
gè yàng de rén shuō huà, yào wèn lù、yào cānguān、yào mǎi dōngxi…zhè

shì xuéxí Hànyǔ de hǎo jīhuì. Fàng jià de shíhou wǒ jiù qù lǚxíng, tígāo wǒ de tīng shuō nénglì.

6 语音练习 Yǔyīn liànxí　Phonetic drills

（1）常用音节练习 Chángyòng yīnjié liànxí　Drill on the frequently used syllables

shuo	shuō huà	说话		qu	qǔdé	取得
	xiǎoshuō	小说			qùnián	去年
	fēngshuò	丰硕			chūqu	出去

（2）朗读会话 Lǎngdú huìhuà　Read aloud the conversation.

A：Fàng jià yǐhòu nǐ jìhuà zuò shénme?

B：Wǒ xiǎng qù lǚxíng.

A：Nǐ qù nǎr?

B：Qù Dōngběi.

A：Xiànzài Dōngběi duō lěng a!

B：Lěng hǎo a, kěyǐ kàn bīngdēng.

32

Nǐ de qiánbāo wàng zài zhèr le

你的钱包忘在这儿了

YOU'VE LEFT YOUR PURSE HERE

1

Jùzi
句子 Sentences

229 你 看 见 和子 了 吗?
Nǐ kàn jiàn Hézǐ le ma?

Have you seen Kazuko?

230 你 进 大厅 去 找 她 吧。
Nǐ jìn dàtīng qù zhǎo tā ba.

You'd better go and look for her in the hall.

231 三 天 以内 的 机票 都 没有 了。
Sān tiān yǐnèi de jīpiào dōu méiyǒu le.

The air tickets for the coming three days are sold out.

232 你 应该 早 点儿 预订 飞机 票。
Nǐ yīnggāi zǎo diǎnr yùdìng fēijī piào.

You should have booked your airplane ticket earlier.

233 我 有 急 事，您 帮帮 忙 吧!
Wǒ yǒu jí shì, nín bāngbang máng ba!

Could you please do me a favor? I have something urgent.

234 有 一 张 十五 号 晚上 八 点
Yǒu yì zhāng shíwǔ hào wǎnshang bā diǎn

的 退 票。
de tuì piào.

There is a returned ticket for 8:00 PM on the 15th.

235 机票 上 写着 十四 点 零 五 分
Jīpiào shang xiězhe shísì diǎn líng wǔ fēn

起飞。
qǐfēi.

The airplane ticket says that the plane leaves at 14:05.

236 小姐，你 的 钱包 忘 在 这儿 了。 You've left your purse
Xiǎojie, nǐ de qiánbāo wàng zài zhèr le. here, miss.

2 *Huìhuà*
会话 Conversations

1.....

刘京： 你 看见 和子 了 吗？
Liú Jīng: Nǐ kànjiàn Hézǐ le ma?

玛丽： 没 看见。你 进 大厅 去 找 她 吧。
Mǎli: Méi kànjiàn. Nǐ jìn dàtīng qù zhǎo tā ba.

2.....

刘京： 和子，买 到 票 了 没有？
Liú Jīng: Hézǐ, mǎi dào piào le méiyǒu?

和子： 还 没有 呢。
Hézǐ: Hái méiyǒu ne.

刘京： 快 到 南边 六 号 窗口 去 买。
Liú Jīng: Kuài dào nánbian liù hào chuāngkǒu qù mǎi.

......

和子： 买 两 张 去 上海 的 票。
Hézǐ: Mǎi liǎng zhāng qù Shànghǎi de piào.

售票员： 要 哪 天 的？
shòupiàoyuán： Yào nǎ tiān de?

和子： 明天　的 有 没有？
Hézǐ： Míngtiān de yǒu méiyǒu?

售票员： 卖 完 了。有 后 天 的，要 不 要？
shòupiàoyuán： Mài wán le. Yǒu hòutiān de, yào bu yào?

和子： 要。我 想 白天 到，买 哪 次 好？
Hézǐ： Yào. Wǒ xiǎng báitiān dào, mǎi nǎ cì hǎo?

售票员： 买 十 三 次 吧。要 硬卧 还是 软卧？
shòupiàoyuán： Mǎi shísān cì ba. Yào yìngwò háishi ruǎnwò?

和子： 硬卧。
Hézǐ： Yìngwò.

尼娜： 到 北京 的 飞机 票 有 吗？
Nínà： Dào Běijīng de fēijī piào yǒu ma?

售票员： 三 天 以内 的 都 没有 了。你 应该 早 点儿
shòupiàoyuán： Sān tiān yǐnèi de dōu méiyǒu le. Nǐ yīnggāi zǎo diǎnr

预订。
yùdìng.

尼娜： 我 有 急事，帮帮　忙 吧！
Nínà： Wǒ yǒu jí shì, bāngbang máng ba!

售票员：　你 等等，　我 再 查查。真 巧，有 一 张
shòupiàoyuán:　Nǐ děngdeng,　wǒ zài chácha. Zhēn qiǎo,　yǒu yì zhāng

十五号 晚上　 八 点 的 退票。
shíwǔ hào wǎnshang bā diǎn de　tuì piào.

尼娜：　我 要 了。这 是 我 的 护照。请问，　从 这儿
Nínà:　Wǒ yào le. Zhè shì wǒ de　hùzhào. Qǐngwèn, cóng zhèr

到 北京 要 多 长　 时间?
dào Běijīng yào duō cháng shíjiān?

售票员：　一 个 多　 小时。
shòupiàoyuán:　Yí　ge duō xiǎoshí.

尼娜：　几 点 起飞?
Nínà:　Jǐ　diǎn qǐfēi?

售票员：　你 看，机票 上　 写着 十四 点 零 五 分 起飞。
shòupiàoyuán:　Nǐ　kàn, jīpiào shang xiězhe shísì diǎn líng wǔ fēn　qǐfēi.

售票员：　小姐，你 的 钱包　 忘 在 这儿 了。
shòupiàoyuán:　Xiǎojie, nǐ de qiánbāo wàng zài zhèr　le.

尼娜： 太 谢谢 你 了。
Nínà： Tài xièxie nǐ le.

3 替换与扩展 Substitution and Extension
Tìhuàn yǔ Kuòzhǎn

替换 Tìhuàn

1. 你买到票了没有？
   Nǐ mǎi dào piào le méiyǒu?

找到 zhǎo dào	钱包 qiánbāo	看到 kàn dào	广告 guǎnggào
检查完 jiǎnchá wán	身体 shēntǐ	办好 bàn hǎo	签证 qiānzhèng

2. 你的钱包忘在这儿了。
   Nǐ de qiánbāo wàng zài zhèr le.

他 tā	行李 xíngli	放 fàng
她 tā	衣服 yīfu	挂 guà
王先生 Wáng xiānsheng	汽车 qìchē	停 tíng

3. 你进大厅去找她吧。
   Nǐ jìn dàtīng qù zhǎo tā ba.

进 jìn	图书馆 túshūguǎn	回 huí	宿舍 sùshè
到 dào	她家 tā jiā	进 jìn	礼堂 lǐtáng

扩展 Kuòzhǎn

1. A： 我 的 汉语 书 忘 在 宿舍 里 了，怎么 办？
   Wǒ de Hànyǔ shū wàng zài sùshè li le, zěnme bàn?

   B： 现在 马上 回 宿舍 去 拿，来得及。
   Xiànzài mǎshàng huí sùshè qù ná, láidejí.

2.大家 讨论 一下儿， 哪个 办法 好。
Dàjiā tǎolùn yíxiàr, nǎge bànfǎ hǎo.

4

Shēngcí
生词 New Words

1	大厅	N.	dàtīng	hall
2	以内	N.	yǐnèi	within, under
3	预订	V.	yùdìng	to book, to reserve
4	帮忙		bāng máng	to help
5	退	V.	tuì	to return
6	着	Part.	zhe	(aspect particle)
7	钱包	N.	qiánbāo	purse, wallet
8	窗口	N.	chuāngkǒu	window
9	卖	V.	mài	to sell
10	白天	N.	báitiān	daytime
11	硬卧	N.	yìngwò	hard sleeper
12	软卧	N.	ruǎnwò	soft sleeper
13	护照	N.	hùzhào	passport
14	广告	N.	guǎnggào	advertisement
15	检查	V.	jiǎnchá	to check
16	签证	N.	qiānzhèng	visa
17	行李	N.	xíngli	luggage

18 挂	V.	guà	to hang
19 停	V.	tíng	to stop
20 图书馆	N.	túshūguǎn	library
21 礼堂	N.	lǐtáng	auditorium
22 讨论	V.	tǎolùn	to discuss
23 办法	N.	bànfǎ	measure

5

Yǔfǎ
语法 Grammar

1. 动作的持续 Dòngzuò de chíxù The duration of an action

❶ 动态助词"着"加在动词后边，表示动作、状态的持续。否定形式是"没(有)……着"。例如：

Dòngtài zhùcí "zhe" jiā zài dòngcí hòubian, biǎoshì dòngzuò、zhuàngtài de chíxù. Fǒudìng xíngshì shì "méi (yǒu) …zhe". Lìrú:

The aspect particle "着 zhe" is put after the verb to denote the duration of an action or a state. Its negative form is "没(有)…着 méi (yǒu)…zhe," e.g.

（1）窗户开着，门没开着。
Chuānghu kāizhe, mén méi kāizhe.

（2）衣柜里挂着很多衣服。
Yīguì li guàzhe hěn duō yīfu.

（3）书上边没写着你的名字。
Shū shàngbian méi xiězhe nǐ de míngzi.

（4）他没拿着东西。
Tā méi názhe dōngxi.

❷ 它的正反疑问句的形式是用"……着……没有"表示。例如：

Tā de zhèngfǎn yíwènjù de xíngshì shì yòng "…zhe…méiyǒu" biǎoshì. Lìrú:

In an affirmative-negative question, it takes the form of "…着…没有…zhe…méiyǒu," e.g.

（5）门开着没有？
Mén kāizhe méiyǒu?

（6）你带着护照没有？

　　Nǐ dàizhe hùzhào méiyǒu?

2. "见" 作结果补语 "Jiàn" zuò jiéguǒ bǔyǔ
"见" as a complement of result

　　"见" 常在 "看" 或 "听" 之后作结果补语。"看见" 的意思是 "看到"；"听见" 的意思是 "听到"。

　　"Jiàn" cháng zài "kàn" huò "tīng" zhīhòu zuò jiéguǒ bǔyǔ. "Kàn jiàn" de yìsi shì "kàn dào"；"Tīng jiàn" de yìsi shì "tīng dào".

　　"见 jiàn" is often used after "看 kàn" (to look) or "听 tīng" (to listen) as a complement of result. "看见 kàn jiàn" means "see" while "听见 tīng jiàn" means "hear."

6 **练习** Liànxí Exercises

① **根据情况，用趋向补语和下面的词语造句**

Gēnjù qíngkuàng, yòng qūxiàng bǔyǔ hé xiàmian de cíyǔ zào jù

Make sentences with directional complements and the following words according to the given situations.

　　例：进 候机室（说话人在外边）→ 刚才他进候机室去了。

　　　　jìn hòujīshì (shuōhuàrén zài wàibian) → Gāngcái tā jìn hòujīshì qu le.

（1）上　　山　　　　（说话人在山下）
　　　shàng shān　　　（shuōhuàrén zài shān xià）

（2）进　　教室　　　（说话人在教室里）
　　　jìn　 jiàoshì　　（shuōhuàrén zài jiàoshì li）

（3）进　　公园　　　（说话人在公园外）
　　　jìn　 gōngyuán　（shuōhuàrén zài gōngyuán wài）

（4）下　　楼　　　　（说话人在楼下）
　　　xià　 lóu　　　（shuōhuàrén zài lóu xià）

（5）回　　家　　　　（说话人在外边）
　　　huí　 jiā　　　（shuōhuàrén zài wàibian）

2 用动词加"着"填空 Yòng dòngcí jiā "zhe" tiánkòng

Fill in the blanks using verbs plus "着."

（1）衣服在衣柜里＿＿＿＿＿＿＿＿呢。

　　　Yīfu zài yīguì li＿＿＿＿＿＿＿ne.

（2）你找钱包？不是在你手里＿＿＿＿＿＿＿＿吗？

　　　Nǐ zhǎo qiánbāo? Bú shì zài nǐ shǒu li＿＿＿＿＿＿＿＿ma?

（3）我的自行车钥匙在桌子上＿＿＿＿＿＿＿，你去拿吧。

　　　Wǒ de zìxíngchē yàoshi zài zhuōzi shang＿＿＿＿＿＿＿，nǐ qù ná ba.

（4）九楼前边＿＿＿＿＿＿＿很多自行车。

　　　Jiǔ lóu qiánbian＿＿＿＿＿＿＿hěn duō zìxíngchē.

（5）我的书上＿＿＿＿＿＿＿我的名字呢，能找到。

　　　Wǒ de shū shang＿＿＿＿＿＿＿wǒ de míngzi ne, néng zhǎo dào.

（6）参观的时候你＿＿＿＿＿＿＿他去，他不认识那儿。

　　　Cānguān de shíhou nǐ＿＿＿＿＿＿＿tā qù, tā bú rènshi nàr.

3 看图说话（用上动词加"着"）Kàn tú shuō huà (yòng shàng dòngcí jiā "zhe")

Talk about the following picture (using verbs plus "着").

4 用"从……到……"回答问题 Yòng "cóng…dào…"huídá wèntí

Answer the questions with "从…到…."

（1）每星期你什么时候上课？

　　　Měi xīngqī nǐ shénme shíhou shàng kè?

（2）你每天从几点到几点上课？

　　　Nǐ měi tiān cóng jǐ diǎn dào jǐ diǎn shàng kè?

（3）从你们国家到北京远不远？

　　　Cóng nǐmen guójiā dào Běijīng yuǎn bu yuǎn?

5 完成对话 Wánchéng duìhuà   Complete the following conversation.

A：可以预订火车票吗？

B：＿＿＿＿＿＿＿＿＿。你去哪儿？

A：＿＿＿＿＿＿＿。

B：＿＿＿＿＿＿＿＿＿？

A：我要一张四月十号的。

B：＿＿＿＿＿＿＿＿＿？

A：要软卧。

A：Kěyǐ yùdìng huǒchēpiào ma?

B：＿＿＿＿＿＿＿. Nǐ qù nǎr?

A：＿＿＿＿＿＿＿.

B：＿＿＿＿＿＿＿＿＿?

A：Wǒ yào yì zhāng sìyuè shí hào de.

B：＿＿＿＿＿＿＿＿？

A：Yào ruǎnwò.

6 根据下面的火车时刻表买票 Gēnjù xiàmian de huǒchē shíkèbiǎo mǎi piào
Buy tickets according to the following train schedule.

Huǒchē shíkèbiǎo 火车时刻表 Train schedule				
checì 车次 Train number	zhǒnglèi 种类 Kind	qǐzhǐdiǎn 起止点 Starting station and terminus	kāi chē shíjiān 开车时间 Departure	dàodá shíjiān 到达时间 Arrival
D31	动车组 dòng chē zǔ	北京—天津 Běijīng—Tiānjīn	10:50	11:51
T65	特快 tè kuài	北京—南京 Běijīng—Nánjīng	22:10	8:45（第二天） dì-èr tiān
Z5	直达 zhí dá	北京—上海 Běijīng—Shànghǎi	8:02	7:36（第二天） dì-èr tiān
K117	直快 zhí kuài	北京—西安 Běijīng—Xī'ān	11:25	3:01（第二天） dì-èr tiān

（1）去天津（Tiānjīn，Tianjin）可以买当天（dàngtiān，the same day）的票。

Qù Tiānjīn kěyǐ mǎi dàngtiān de piào.

（2）去南京（Nánjīng，Nanjing）、上海、西安（Xī'ān，Xi'an）的卧铺票可以提前十天预订。

Qù Nánjīng、Shànghǎi、Xī'ān de wòpù piào kěyǐ tíqián shí tiān yùdìng.

7 听述 Tīng shù　Listen and retell.

张三和李四去火车站。进去以后，离开车只（zhǐ，only）有五分钟了。他们赶紧（gǎnjǐn，hurry）快跑。张三跑得快，先上了火车。他看见李四还在车下边，急了，就要下车。服务员说："先生，不能下车，车就要开了，来不及了。"张三说："不行，要走的是他，我是来送他的。"

Zhāng Sān hé Lǐ Sì qù huǒchēzhàn. Jìnqu yǐhòu, lí kāi chē zhǐ yǒu wǔ fēnzhōng le. Tāmen gǎnjǐn kuài pǎo. Zhāng Sān pǎo de kuài, xiān shàngle huǒchē. Tā kàn jiàn Lǐ Sì hái zài chē xiàbian, jí le, jiù yào xià chē. Fúwùyuán shuō: "Xiānsheng, bú néng xià chē, chē jiù yào kāi le, láibují le." Zhāng Sān shuō: "Bù xíng, yào zǒu de shì tā, wǒ shì lái sòng tā de."

8 语音练习 Yǔyīn liànxí　Phonetic drills

（1）常用音节练习 Chángyòng yīnjié liànxí　Drill on the frequently used syllables

chu	chūlai	出来	er	érzi	儿子
	chúfáng	厨房		ěrduo	耳朵
	dàochù	到处		èryuè	二月

（2）朗读会话 Lǎngdú huìhuà Read aloud the conversation.

A：Huǒchē shang yǒudiǎnr rè.

B：Kāi chē yǐhòu jiù liángkuai le.

A：Zhèxiē dōngxi fàng zài nǎr?

B：Fàng zài shàngbian de xínglijià shang.

A：Zhēn gāo a.

B：Wǒ bāng nǐ fàng.

A：Máfan nǐ le.

B：Bú kèqi.

Yǒu kòng fángjiān ma?

有空房间吗？

ARE THERE ANY VACANT ROOMS?

Jùzi
句子 Sentences

237 终于 到了 桂林 了。
Zhōngyú dàole Guìlín le.

We've arrived in Guilin at last.

238 哎呀， 累 死 了！①
Āiyā， lèi sǐ le!

Oh, my God! I am really worn out.

239 你 只要 找 个 交通
Nǐ zhǐyào zhǎo ge jiāotōng

Any hotel would be okay if it is near the downtown area.

方便 的 旅馆 就 行。
fāngbiàn de lǚguǎn jiù xíng.

240 你们 在 前边 那个
Nǐmen zài qiánbian nàge

You'll wait for me at the bus stop ahead.

汽车站 等 我。
qìchēzhàn děng wǒ.

241 请问， 有 空 房间 吗？
Qǐngwèn， yǒu kòng fángjiān ma?

Excuse me, but are there any vacant rooms here?

242 现在 没有 空 房间，
Xiànzài méiyǒu kòng fángjiān,

There is no vacancy available now.

都 住 满 了。
dōu zhù mǎn le.

243 那 个 包 你 放 进 衣柜 里
Nàge bāo nǐ fàng jìn yīguì li

Please put that bag into the wardrobe.

去 吧。
qu ba.

244 那 个 包 很 大，放 得 进去
Nàge bāo hěn dà, fàng de jìnqù

Can you put that big bag into it?

放 不 进去?
fàng bu jìnqù?

Huìhuà
会话 Conversations

🔖 ......

大卫: 终于 到 了 桂林 了。
Dàwèi: Zhōngyú dàole Guìlín le.

尼娜: 哎呀，累 死 了!
Nínà: Āiyā, lèi sǐ le!

玛丽: 大卫，你 快 去 找 住 的 地方 吧。
Mǎlì: Dàwèi, nǐ kuài qù zhǎo zhù de dìfang ba.

大卫: 找 什么 样 的 旅馆 好 呢?
Dàwèi: Zhǎo shénme yàng de lǚguǎn hǎo ne?

玛丽：　只要 找　个 交通　方便　的 就 行。
Mǎlì：　Zhǐyào zhǎo　ge jiāotōng fāngbiàn de　jiù xíng.

大卫：　那　你们　慢慢　地 走，在　前边　那个　汽车站
Dàwèi：　Nà nǐmen mànmān de zǒu,　zài qiánbian nàge qìchēzhàn

　等 我。我 去 问问。
　děng wǒ.　Wǒ qù wènwen.

大卫：　请问，　有 空 房间 吗?
Dàwèi：　Qǐngwèn,　yǒu kòng fángjiān ma?

服务员：　现在　没有，　都 住 满 了。
fúwùyuán：　Xiànzài méiyǒu,　dōu zhù mǎn le.

大卫：　请　您 想想　　办法，帮　个 忙　吧!
Dàwèi：　Qǐng nín xiǎngxiang bànfǎ,　bāng ge máng ba!

服务员：　你们　几 位?
fúwùyuán：　Nǐmen jǐ　wèi?

大卫：　两　个 女 的，一 个 男 的。
Dàwèi：　Liǎng ge nǚ de,　yí ge nán de.

服务员：　你们　等　一会儿 看看，可能　有 客人 要 走。
fúwùyuán：　Nǐmen děng yíhuìr kànkan,　kěnéng yǒu kèren yào zǒu.

3.....

玛丽:　这个　房间　很　不错，窗户　很　大。
Mǎli:　Zhège　fángjiān hěn　búcuò, chuānghu hěn dà.

尼娜:　我　想　洗　澡。
Nínà:　Wǒ xiǎng xǐ zǎo.

玛丽:　先　吃　点儿　东西　吧。
Mǎli:　Xiān chī diǎnr　dōngxi ba.

尼娜:　我　不　饿，刚才　吃了　一　块　蛋糕。
Nínà:　Wǒ bú è, gāngcái chīle　yí kuài dàngāo.

玛丽:　那个　包　你　放　进　衣柜　里　去　吧。
Mǎli:　Nàge bāo nǐ fàng jìn　yīguì　li qu ba.

尼娜:　包　很　大，放　得　进去　放　不　进去?
Nínà:　Bāo hěn dà, fàng de　jìnqù fàng bu　jìnqù?

玛丽:　你　试试。
Mǎli:　Nǐ shìshi.

尼娜:　放　得　进去。我　的　红　衬衫　怎么　不　见　了?
Nínà:　Fàng de jìnqù.　Wǒ de hóng chènshān zěnme bú jiàn le?

玛丽:　不　是　放在椅子上　吗?
Mǎli:　Bú shì fàng zài　yǐzi shang ma?

尼娜： 啊， 刚 放 的 就 忘 了。
Nínà： À， gāng fàng de jiù wàng le.

Zhùshì
注释：Notes

① "累死了!" "Lèi sǐ le!" I'm really worn out.

"死"作补语，表示程度高，即"达到极点"的意思。

"Sǐ" zuò bǔyǔ, biǎoshì chéngdù gāo, jí "dádào jídiǎn" de yìsi.

"死 sǐ" as a complement indicates a great extent, i.e. in the extreme.

3

Tìhuàn yǔ Kuòzhǎn
替换与扩展 Substitution and Extension

替换 Tìhuàn

1. 累死了!
Lèi sǐ le!

麻烦	忙	饿	渴	高兴	难
máfan	máng	è	kě	gāoxìng	nán

2. 只要找个交通方便
Zhǐyào zhǎo ge jiāotōng fāngbiàn

的旅馆就行。
de lǚguǎn jiù xíng.

买 个	质量好	空调
mǎi gè	zhìliàng hǎo	kōngtiáo
穿 件	颜色好看	衣服
chuān jiàn	yánsè hǎokàn	yīfu
买 支	好用	笔
mǎi zhī	hǎoyòng	bǐ
找 个	离市中心近	饭店
zhǎo gè	lí shì zhōngxīn jìn	fàndiàn

3. 那个包你放进衣柜
Nàge bāo nǐ fàng jìn yīguì

里去吧。
li qu ba.

条	裙子	箱子
tiáo	qúnzi	xiāngzi
条	裤子	包
tiáo	kùzi	bāo
件	毛衣	衣柜
jiàn	máoyī	yīguì
瓶	啤酒	冰箱
píng	píjiǔ	bīngxiāng

扩展 Kuòzhǎn

1. 餐厅 在 大门 的 旁边。
   Cāntīng zài dàmén de pángbiān.

2. A: 你 洗 个 澡 吧。
   Nǐ xǐ ge zǎo ba.

   B: 不，我 饿 死 了，先 吃 点儿 东西 再 说。
   Bù, wǒ è sǐ le, xiān chī diǎnr dōngxi zài shuō.

4

生词 Shēngcí New Words

1	终于	Adv.	zhōngyú	at last, finally
2	死	V., Adj.	sǐ	to die; extremely
3	只要…		zhǐyào…	if...
	就…		jiù…	then...
4	旅馆	N.	lǚguǎn	hotel
5	空	Adj.	kòng	vacant
6	满	Adj.	mǎn	occupied, full
7	包	N.	bāo	bag
8	地	Part.	de	(structural particle)
9	客人	N.	kèren	guest
10	洗澡		xǐ zǎo	to have a bath
11	饿	Adj.	è	hungry

12 衬衫	N.	chènshān	shirt, blouse
13 椅子	N.	yǐzi	chair
14 渴	Adj.	kě	thirsty
15 质量	N.	zhìliàng	quality
16 空调	N.	kōngtiáo	air-conditioning
17 市	N.	shì	city
18 中心	N.	zhōngxīn	center, downtown area
19 裙子	N.	qúnzi	skirt
20 箱子	N.	xiāngzi	trunk, suitcase
21 裤子	N.	kùzi	trousers, pants
22 餐厅	N.	cāntīng	dining hall

5

Yǔfǎ
语法 Grammar

1. 形容词重叠与结构助词 "地" Xíngróngcí chóngdié yǔ jiégòu zhùcí "de" Reduplication of adjectives and the structural particle "地"

❶ 一部分形容词可以重叠，重叠后表示性质程度的加深。

Yí bùfen xíngróngcí kěyǐ chóngdié, chóngdié hòu biǎoshì xìngzhì chéngdù de jiāshēn.

单音节形容词重叠后第二个音节可变为第一声，并可儿化。如"好好儿"、"慢慢儿"等；双音节形容词的重叠形式为"AABB"。例如"高高兴兴"、"干干净净"等。

Dān yīnjié xíngróngcí chóngdié hòu dì-èr ge yīnjié kě biàn wéi dì-yī shēng, bìng kě érhuà. Rú "hǎohāor"、"mànmānr" děng; Shuāng yīnjié xíngróngcí de chóngdié xíngshì wéi "AABB". Lìrú "gāogāoxìngxìng"、"gāngānjìngjìng" děng.

There are a number of adjectives that can be reduplicated in Chinese. When an adjective is reduplicated, its meaning properties are intensified.

When a monosyllabic adjective is reduplicated, the second syllable sometimes is pronounced in the lst tone and can be retroflexed with " r," e.g. "好好儿 hǎohāor," "慢慢儿 mànmānr." The reduplication of a disyllabic adjective takes the form "AABB," e.g. "高高兴兴 gāogāoxìngxìng," "干干净净 gāngānjìngjìng."

❷ 单音节形容词重叠后作状语用不用"地"都可，双音节形容词重叠作状语一般要用"地"。例如：

Dān yīnjié xíngróngcí chóngdié hòu zuò zhuàngyǔ yòng bu yòng "de" dōu kě, shuāng yīnjié xíngróngcí chóngdié zuò zhuàngyǔ yìbān yào yòng "de". Lìrú:

A reduplicated monosyllabic adjective may or may not take "地 de" when it is used as an adverbial, while a reduplicated disyllabic adjective normally requires "地," e.g.

（1）你们慢慢(地)走啊！
　　 Nǐmen mànmān (de) zǒu a!

（2）他高高兴兴地说："我收到了朋友的来信。"
　　 Tā gāogāoxìngxìng de shuō: "Wǒ shōu dào le péngyou de láixìn."

（3）玛丽舒舒服服地躺在床上睡了。
　　 Mǎlì shūshūfufu de tǎng zài chuáng shang shuì le.

2. 可能补语 Kěnéng bǔyǔ (2)　The complement of possibility(2)

❶ 动词和趋向补语之间加"得"或"不"，就可构成可能补语。例如：

Dòngcí hé qūxiàng bǔyǔ zhījiān jiā "de" huò "bu", jiù kě gòuchéng kěnéng bǔyǔ. Lìrú:

The complement of possibility can also be formed by inserting a structural particle "得" or "不" between a verb and a directional complement, e.g.

（1）他们去公园了，十二点以前回得来。
　　 Tāmen qù gōngyuán le, shí'èr diǎn yǐqián huí de lái.

（2）山很高，我爬不上去。
　　 Shān hěn gāo, wǒ pá bu shàngqù.

❷ 正反疑问句的构成方式是并列可能补语的肯定形式和否定形式。例如：

Zhèngfǎn yíwènjù de gòuchéng fāngshì shì bìngliè kěnéng bǔyǔ de kěndìng xíngshì hé fǒudìng xíngshì. Lìrú:

An affirmative-negative question is formed by juxtaposing the positive and the negative forms of a complement of possibility, e.g.

（3）你们十二点以前回得来回不来？

　　Nǐmen shí'èr diǎn yǐqián huí de lái huí bu lái?

（4）门很小，汽车开得进来开不进来？

　　Mén hěn xiǎo, qìchē kāi de jìnlái kāi bu jìnlái?

6

练习 Liànxí Exercises

① **填上适当的量词** Tián shàng shìdàng de liàngcí
Supply the proper measure words.

一 ____ 衬衫　　　　两 ____ 裤子　　　　一 ____ 裙子
yī　　chènshān　　liǎng　　kùzi　　　　yī　　qúnzi

一 ____ 桌子　　　　三 ____ 马路　　　　一 ____ 衣柜
yī　　zhuōzi　　　　sān　　mǎlù　　　　yī　　yīguì

四 ____ 小说　　　　两 ____ 票　　　　一 ____ 自行车
sì　　xiǎoshuō　　liǎng　　piào　　　　yī　　zìxíngchē

三 ____ 圆珠笔　　　一 ____ 小狗　　　　三 ____ 客人
sān　yuánzhūbǐ　　yī　　xiǎo gǒu　　　sān　　kèren

② **把下面的句子改成正反疑问句**
Bǎ xiàmian de jùzi gǎi chéng zhèngfǎn yíwènjù
Change the following sentences into affirmative-negative questions.

例：今天晚上六点你回得来吗？ → 今天晚上六点你回得来回不来？
　　Jīntiān wǎnshang liù diǎn nǐ huí de lái ma?
　　→ Jīntiān wǎnshang liù diǎn nǐ huí de lái huí bu lái?

（1）那个门很小，汽车开得进去吗？

　　Nàge mén hěn xiǎo, qìchē kāi de jìnqù ma?

（2）这个包里再放进两件衣服，放得进去吗？

　　Zhège bāo li zài fàng jìn liǎng jiàn yīfu, fàng de jìnqù ma?

（3）这么多药水你喝得下去吗？

Zhème duō yàoshuǐ nǐ hē de xiàqù ma?

（4）箱子放在衣柜上边，你拿得下来吗？

Xiāngzi fàng zài yīguì shàngbian, nǐ ná de xiàlái ma?

③ 用"只要……就"回答问题 Yòng "zhǐyào……jiù" huídá wèntí

Answer the questions with "只要…就."

> 例：明天你去公园吗？ → 只要天气好，我就去。
>
> Míngtiān nǐ qù gōngyuán ma? → Zhǐyào tiānqì hǎo, wǒ jiù qù.

（1）中国人说话，你听得懂吗？

Zhōngguó rén shuō huà, nǐ tīng de dǒng ma?

（2）你去旅行吗？

Nǐ qù lǚxíng ma?

（3）明天你去看杂技吗？

Míngtiān nǐ qù kàn zájì ma?

（4）你想买什么样的衬衫？

Nǐ xiǎng mǎi shénme yàng de chènshān?

④ 完成对话 Wánchéng duìhuà　Complete the following conversation.

A：请问，一个房间_____？

B：一天一百五十块。

A：_____？

B：有两张床。

A：_____？

B：很方便，一天二十四小时都有热水。

A：这儿能上网吗？

B：_____。

A：好，我要一个房间。

A: Qǐngwèn, yí ge fángjiān＿＿＿＿＿＿＿＿?

B: Yì tiān yìbǎi wǔshí kuài.

A: ＿＿＿＿＿＿＿＿?

B: Yǒu liǎng zhāng chuáng.

A: ＿＿＿＿＿＿＿＿?

B: Hěn fāngbiàn, yì tiān èrshísì xiǎoshí dōu yǒu rèshuǐ.

A: Zhèr néng shàng wǎng ma?

B: ＿＿＿＿＿＿＿＿.

A: Hǎo, wǒ yào yí ge fángjiān.

5 会话 Huìhuà　Conversational drills

　　在饭店看房间，服务员说这个房间很好，你觉得太贵了，想换一个。

　　Zài fàndiàn kàn fángjiān, fúwùyuán shuō zhège fángjiān hěn hǎo, nǐ juéde tài guì le, xiǎng huàn yí ge.

　　提示：房间大小，有什么东西，能不能洗澡，是不是干净，一天多少钱，住几个人。

　　Tíshì: Fángjiān dà xiǎo, yǒu shénme dōngxi, néng bu néng xǐ zǎo, shì bu shì gānjìng, yì tiān duōshao qián, zhù jǐ ge rén.

　　An attendant at a hotel has just taken you to a room, saying that it is a nice one. You feel that it is too expensive and want to change to another one.

　　Suggested points: You want to know the size, the furniture, the bathing facilities, the sanitary conditions, the rent and the capacity of the room.

6 听述 Tīng shù　Listen and retell.

　　这个饭店不错。房间不太大，可是很干净。每个房间都能洗澡，很方便。晚上可以看电视，听音乐。饭店的楼上有咖啡厅和卡拉 OK。客人们白天在外边参观游览了一天，晚上喝杯咖啡，唱唱卡拉 OK，可以好好地休息休息。

Zhège fàndiàn búcuò. Fángjiān bú tài dà, kěshì hěn gānjìng. Měi ge fángjiān dōu néng xǐ zǎo, hěn fāngbiàn. Wǎnshang kěyǐ kàn diànshì, tīng yīnyuè. Fàndiàn de lóu shàng yǒu kāfēitīng hé kǎlā OK. Kèrenmen báitiān zài wàibian cānguān yóulǎn le yì tiān, wǎnshang hē bēi kāfēi, chàngchang kǎlā OK，kěyǐ hǎohāo de xiūxi xiūxi.

7 语音练习 Yǔyīn liànxí　Phonetic drills 🔍

(1) 常用音节练习 Chángyòng yīnjié liànxí　Drill on the frequently used syllables

	xīngqī	星期		huīfù	恢复
xing	zìxíngchē	自行车	hui	huí jiā	回家
	xìngmíng	姓名		huì Hànyǔ	会汉语

(2) 朗读会话 Lǎngdú huìhuà　Read aloud the conversation.

A：Qǐngwèn，yǒu kòng fángjiān ma?

B：Duìbuqǐ，xiànzài méiyǒu.

A：Shénme shíhou néng yǒu?

B：Xiàwǔ liù diǎn.

A：Hǎo，liù diǎn zài lái.

34

Wǒ tóu téng
我头疼
I HAVE A HEADACHE

1 Jùzi
句子 Sentences

245 你 怎么 了？
Nǐ zěnme le?

What's wrong with you?

246 我 头 疼，咳嗽。
Wǒ tóu téng, késou.

I have a headache and a cough.

247 我 昨天 晚上 就 开始 不
Wǒ zuótiān wǎnshang jiù kāishǐ bù

I began to feel unwell last night.

舒服 了。
shūfu le.

248 你 把 嘴 张 开，我 看看。
Nǐ bǎ zuǐ zhāng kāi, wǒ kànkan.

Please open your mouth and let me have a look.

249 吃 两 天 药 就 会 好 的。
Chī liǎng tiān yào jiù huì hǎo de.

Take medicine for two days and you will get well.

250 王 兰 呢？①
Wáng Lán ne?

Where is Wang Lan?

251 我 一 下 课 就 找 她。
Wǒ yí xià kè jiù zhǎo tā.

I will look for her as soon as I finish the classes.

252 我 找 了 她 两 次，都 不 在。
Wǒ zhǎole tā liǎng cì, dōu bú zài.

I looked for her twice, but she was not in on both occasions.

2

1.....

大夫：
dàifu :

你 怎么 了？
Nǐ zěnme le?

玛丽：
Mǎlì :

我 头 疼，咳嗽。
Wǒ tóu téng, késou.

大夫：
dàifu :

几 天 了？
Jǐ tiān le?

玛丽：
Mǎlì :

昨天 上午 还 好好 的， 晚上 就 开始 不
Zuótiān shàngwǔ hái hǎohāo de, wǎnshang jiù kāishǐ bù

舒服 了。
shūfu le.

大夫：
dàifu :

你 吃 药 了 吗？
Nǐ chī yào le ma?

玛丽：
Mǎlì :

吃了 一 次。
Chīle yí cì.

大夫：
dàifu :

你 把 嘴 张 开，我 看看。嗓子 有点儿 红。
Nǐ bǎ zuǐ zhāng kāi, wǒ kànkan. Sǎngzi yǒudiǎnr hóng.

玛丽： 有 问题 吗？
Mǎlì： Yǒu wèntí ma?

大夫： 没 什么。你 试试 表 吧。
dàifu： Méi shénme. Nǐ shìshi biǎo ba.

玛丽： 发 烧 吗？
Mǎlì： Fā shāo ma?

大夫： 三 十 七 度 六，你 感冒 了。
dàifu： Sānshíqī dù liù, nǐ gǎnmào le.

玛丽： 要 打 针 吗？
Mǎlì： Yào dǎ zhēn ma?

大夫： 不用， 吃 两 天 药 就 会 好 的。
dàifu： Búyòng, chī liǎng tiān yào jiù huì hǎo de.

2.....

和子： 王 兰 呢？我 一 下 课 就 找 她，找 了 她
Hézǐ： Wáng Lán ne? Wǒ yí xià kè jiù zhǎo tā, zhǎole tā

两 次，都 不 在。
liǎng cì，dōu bú zài.

刘京：　她 住 院 了。
Liú Jīng：　Tā zhù yuàn le.

和子：　病 了 吗?
Hézǐ：　Bìngle ma?

刘京：　不 是，她 受 伤 了。
Liú Jīng：　Bú shì，tā shòu shāng le.

和子：　住 哪个 医院?
Hézǐ：　Zhù nǎge yīyuàn?

刘京：　可能 是 第三 医院。
Liú Jīng：　Kěnéng shì Dì-sān Yīyuàn.

和子：　现在 情况 怎么样? 伤 得 重 吗?
Hézǐ：　Xiànzài qíngkuàng zěnmeyàng? Shāng de zhòng ma?

刘京：　还 不 清楚，检查了 才 能 知道。
Liú Jīng：　Hái bù qīngchu, jiǎnchále cái néng zhīdào.

Zhùshì
注释: Notes

① "王兰呢?" "Wáng Lán ne?" Where is Wang Lan?

带"呢"的问句，在没有上下文时，是问地点的。"王兰呢"的意思是"王兰在哪儿?"

Dài "ne" de wènjù, zài méiyǒu shàngxiàwén shí, shì wèn dìdiǎn de. "Wáng Lán ne" de yìsi shì "Wáng Lán zài nǎr?"

A question ending with "呢 ne," if without any context, concerns the whereabouts of somebody or something. Therefore, "王兰呢? Wáng Lán ne" means "where is Wang Lan?"

3 Tìhuàn yǔ Kuòzhǎn
替换与扩展 Substitution and Extension

替换 Tìhuàn

1. 你把嘴张开。
   Nǐ bǎ zuǐ zhāng kāi.

窗户	开开	传真	发过去
chuānghu	kāi kāi	chuánzhēn	fā guoqu
冰箱	打开	文件	放好
bīngxiāng	dǎ kāi	wénjiàn	fàng hǎo
门	锁好		
mén	suǒ hǎo		

2. 我找了她两次，都不在。
   Wǒ zhǎole tā liǎng cì, dōu bú zài.

问	说	请	来
wèn	shuō	qǐng	lái
给	要	约	去
gěi	yào	yuē	qù

3. 我一下课就找她。
   Wǒ yí xià kè jiù zhǎo tā.

到家	吃饭	放假	去旅行
dào jiā	chī fàn	fàng jià	qù lǚxíng
关灯	睡觉	起床	去锻炼
guān dēng	shuì jiào	qǐ chuáng	qù duànliàn

扩展 Kuòzhǎn

1. 他 发了 两 天 烧, 吃 药 以后, 今天 好 多了。
   Tā fāle liǎng tiān shāo, chī yào yǐhòu, jīntiān hǎo duō le.

2. 他 眼睛 做了 手术， 下 星期 可以 出 院 了。
   Tā yǎnjing zuòle shǒushù, xià xīngqī kěyǐ chū yuàn le.

4

Shēngcí
生词 New Words

1	开始	V.	kāishǐ	to begin
2	把	Prep.	bǎ	(used in the "ba" sentence)
3	嘴	N.	zuǐ	mouth
4	张	V.	zhāng	to open
5	一…就…		yī…jiù…	no sooner...than
6	嗓子	N.	sǎngzi	throat
7	表	N.	biǎo	thermometer
8	发烧		fā shāo	to run a fever
9	打针		dǎ zhēn	to give an injection
10	住院		zhù yuàn	to be hospitalized
11	受	V.	shòu	to suffer from
12	伤	N., V.	shāng	wound; to wound
13	情况	N.	qíngkuàng	situation
14	重	Adj.	zhòng	serious
15	传真	N.	chuánzhēn	fax
16	文件	N.	wénjiàn	file
17	锁	V., N.	suǒ	to lock; lock

18	灯	N.	dēng	light
19	锻炼	V.	duànliàn	to exercise
20	眼睛	N.	yǎnjing	eye
21	手术	N.	shǒushù	operation
22	出院		chū yuàn	to leave hospital

Zhuānmíng
专名　Proper Name

| 第三医院 | Dì-sān Yīyuàn | No. Three Hospital |

5

Yǔfǎ
语法 Grammar

1. "把"字句 "Bǎ"zì jù(1) The "把" sentence (1)

❶ "把"字句常常用来强调说明动作对某事物如何处置及处置的结果。在"把"字句里，介词"把"和它的宾语——被处置的事物，必须放在主语之后、动词之前，起状语的作用。例如：

"Bǎ" zì jù chángcháng yònglái qiángdiào shuōmíng dòngzuò duì mǒu shìwù rúhé chǔzhì jí chǔzhì de jiéguǒ. Zài "bǎ" zì jù li, jiècí "bǎ" hé tā de bīnyǔ—bèi chǔzhì de shìwù, bìxū fàng zài zhǔyǔ zhīhòu、dòngcí zhīqián, qǐ zhuàngyǔ de zuòyòng. Lìrú:

The "把 bǎ" sentence is usually used to stress how the object of a verb is disposed of and what result is brought about. In such a sentence, the preposition "把" and its object, the thing to be disposed of, should be inserted between the subject and the verb so as to function as an adverbial, e.g.

（1）你把门开开。
　　　Nǐ bǎ mén kāi kāi.

（2）我把信寄出去了。
　　　Wǒ bǎ xìn jì chuqu le.

（3）小王把那本书带来了。

Xiǎo Wáng bǎ nà běn shū dài lai le.

（4）请你把那儿的情况介绍介绍。

Qǐng nǐ bǎ nàr de qíngkuàng jièshào jièshào.

❷ "把"字句有如下几个特点：

"Bǎ" zì jù yǒu rúxià jǐ ge tèdiǎn:

Some characteristics of the "把" sentence:

① "把"的宾语是说话人心目中已确定的。不能说"把一杯茶喝了"，只能说"把那杯茶喝了"。

"Bǎ" de bīnyǔ shì shuōhuàrén xīnmù zhōng yǐ quèdìng de. Bù néng shuō "bǎ yì bēi chá hē le", zhǐ néng shuō "bǎ nà bēi chá hē le".

The object of "把 bǎ" is something definite in the mind of the speaker. Therefore, one can say "把那杯茶喝了 bǎ nà bēi chá hē le," but not "把一杯茶喝了 bǎ yì bēi chá hē le."

② "把"字句的主要动词一定是及物的，并带有处置或支配的意义。没有处置意义的动词如："有"、"是"、"在"、"来"、"去"、"回"、"喜欢"、"知道"等，不能用于"把"字句。

"Bǎ" zì jù de zhǔyào dòngcí yídìng shì jíwù de, bìng dàiyǒu chǔzhì huò zhīpèi de yìyì. Méiyǒu chǔzhì yìyì de dòngcí rú: "yǒu"、"shì"、"zài"、"lái"、"qù"、"huí"、"xǐhuan"、"zhīdào" děng, bù néng yòngyú "bǎ" zì jù.

The main verb of a "把 bǎ" sentence should be transitive and has a meaning of disposing or controlling something. The verbs without such a meaning, e.g. "有 yǒu," "是 shì," "在 zài," "来 lái," "回 huí," "喜欢 xǐhuan," "知道 zhīdào" and so on can't be used in the "把" sentence.

③ "把"字句的动词后，必须有其他成分。比如不能说"我把门开"，必须说"我把门开开"。

"Bǎ" zì jù de dòngcí hòu, bìxū yǒu qítā chéngfèn. Bǐrú bù néng shuō "wǒ bǎ mén kāi", bìxū shuō "wǒ bǎ mén kāi kāi".

In a "把 bǎ" sentence, there must be some constituent that follows the verb. Thus, one may say "我把门开开 wǒ bǎ mén kāi kāi," but not "我把门开 wǒ bǎ mén kāi."

2. "一……就……" "yī…jiù…"

The expression "一…就…" (no sooner...than...)

❶ 有时表示两件事紧接着发生。例如：

Yǒushí biǎoshì liǎng jiàn shì jǐnjiēzhe fāshēng. Lìrú:

It sometimes means that two events occur in close succession, e.g.

（1）他一下车就看见玛丽了。

　　Tā yí xià chē jiù kàn jiàn Mǎlì le.

（2）他们一放假就都去旅行了。

　　Tāmen yí fàng jià jiù dōu qù lǚxíng le.

② 有时候前一分句表示条件，后一分句表示结果。例如：

Yǒushíhou qián yì fēnjù biǎoshì tiáojiàn, hòu yì fēnjù biǎoshì jiéguǒ. Lìrú:

Occasionally, the first part of the sentence denotes the condition while the second expresses the result, e.g.

（3）他一累，就头疼。

　　Tā yí lèi, jiù tóu téng.

（4）一下雪，路就很滑。

　　Yí xià xuě, lù jiù hěn huá.

6　Liànxí
　　　练习　Exercises

① **给下面的动词配上适当的结果补语**

Gěi xiàmian de dòngcí pèi shàng shìdàng de jiéguǒ bǔyǔ

Provide the following words with proper complements of result.

关____窗户　　　　张____嘴　　　　　锁____门

guān　chuānghu　　zhāng　zuǐ　　　suǒ　mén

开____灯　　　　　吃____饭　　　　　修____自行车

kāi　dēng　　　　chī　fàn　　　　　xiū　zìxíngchē

洗____衣服　　　　接____一个电话

xǐ　yīfu　　　　　jiē　yí ge diànhuà

② **仿照例子，把下面的句子改成"把"字句**

Fǎngzhào lìzi, bǎ xiàmiàn de jùzi gǎi chéng "bǎ" zì jù

Change the following sentences into sentences with "把" following the model.

　例：他画好了一张画儿。→ 他把那张画儿画好了。

　　　Tā huà hǎo le yì zhāng huàr. → Tā bǎ nà zhāng huàr huà hǎo le.

（1）他打开了桌上的电脑。

　　　Tā dǎ kāi le zhuō shang de diànnǎo.

（2）我弄丢了小王的杂志。

　　　Wǒ nòng diū le Xiǎo Wáng de zázhì.

（3）我们布置好那个房间了。

　　　Wǒmen bùzhì hǎo nàge fángjiān le.

（4）我摔坏了刘京的手机。

　　　Wǒ shuāi huài le Liú Jīng de shǒujī.

3 完成对话 Wánchéng duìhuà　Complete the following conversation.

A：＿＿＿＿＿＿＿＿＿＿？

B：我刚一病就住院了。

A：＿＿＿＿＿＿＿＿＿＿？

B：现在还正在检查，检查了才能知道。

A：要我帮你做什么吗？

B：你下次来，＿＿＿＿＿＿＿＿。（把，书）

A：好。

A：＿＿＿＿＿＿＿＿＿＿？

B：Wǒ gāng yí bìng jiù zhù yuàn le.

A：＿＿＿＿＿＿＿＿＿＿？

B：Xiànzài hái zhèngzài jiǎnchá, jiǎnchále cái néng zhīdào.

A：Yào wǒ bāng nǐ zuò shénme ma?

B：Nǐ xià cì lái, ＿＿＿＿＿＿＿＿. (bǎ, shū)

A：Hǎo.

④ 会话 Huìhuà　Conversational drills

大夫和看病的人对话。（打球的时候，手受伤了，去医院看病。）

Dàifu hé kàn bìng de rén duìhuà.　(Dǎ qiú de shíhou, shǒu shòu shāng le, qù yīyuàn kàn bìng.)

Between a doctor and a patient. (The patient is telling the doctor that he injured his hand while he was playing ball game and this is the reason why he has come to the hospital.)

⑤ 听述 Tīng shù　Listen and retell.

今天小王一起床就头疼，不想吃东西。他没去上课，去医院看病了。大夫给他检查了身体，问了他这两天的生活情况。

他不发烧，嗓子也不红，不是感冒。昨天晚上他玩儿电脑，睡得很晚，睡得也不好。头疼是因为 (yīnwèi, because) 睡得太少了。大夫没给他药，告诉他回去好好睡一觉就会好的。

Jīntiān Xiǎo Wáng yì qǐ chuáng jiù tóu téng, bù xiǎng chī dōngxi. Tā méi qù shàng kè, qù yīyuàn kàn bìng le. Dàifu gěi tā jiǎnchále shēntǐ, wènle tā zhè liǎng tiān de shēnghuó qíngkuàng.

Tā bù fā shāo, sǎngzi yě bù hóng, bú shì gǎnmào. Zuótiān wǎnshang tā wánr diànnǎo, shuì de hěn wǎn, shuì de yě bù hǎo. Tóu téng shì yīnwèi shuì de tài shǎo le. Dàifu méi gěi tā yào, gàosu tā huíqu hǎohāo shuì yí jiào jiù huì hǎo de.

⑥ 语音练习 Yǔyīn liànxí　Phonetic drills

（1）常用音节练习 Chángyòng yīnjié liànxí　Drill on the frequently used syllables

zheng	zhēngqǔ	争取		xi	xībian	西边
	zhěngqí	整齐			xǐ zǎo	洗澡
	zhèngzài	正在			xìxīn	细心

（2）朗读会话 Lǎngdú huìhuà Read aloud the conversation.

A：Dàifu，wǒ dùzi téng.

B：Shénme shíhou kāishǐ de?

A：Jīntiān zǎoshang.

B：Zuótiān nǐ chī shénme dōngxi le? Chī tài liáng de dōngxi le ma?

A：Hēle hěn duō bīng shuǐ.

B：Kěnéng shì yīnwèi hē de tài duō le，chī diǎnr yào ba.

Nǐ hǎo diǎnr le ma?
你好点儿了吗?
ARE YOU FEELING BETTER NOW?

Jùzi
句子 Sentences

253 王 兰 被 车 撞 伤 了。 Wang Lan was knocked down by
Wáng Lán bèi chē zhuàng shāng le. a car.

254 带 些 水果 什么的① 吧。 Let's bring some fruits and whatnot.
Dài xiē shuǐguǒ shénmede ba.

255 医院 前边 修 路，汽车 到 The road in front of the hospital is
Yīyuàn qiánbian xiū lù, qìchē dào being repaired, so the car can't reach
its gate.
不 了 医院 门口。
bu liǎo yīyuàn ménkǒu.

256 从 那儿 走着 去 很 近。 It's very close from there, so
Cóng nàr zǒuzhe qù hěn jìn. we could walk.

257 你 好 点儿 了 吗? Are you feeling better now?
Nǐ hǎo diǎnr le ma?

258 看 样子，你 好 多 了。 You look much better.
Kàn yàngzi, nǐ hǎo duō le.

259 我 觉得一天比一天 好。② I am feeling better and better each
Wǒ juéde yì tiān bǐ yì tiān hǎo. day.

260　我们　给 你 带 来 一些 吃 的。
Wǒmen gěi nǐ dài lai yìxiē chī de.

We've brought you something to eat.

会话 Conversations
Huìhuà

玛丽：　听说　王 兰 被 车 撞　伤 了，是 吗?
Mǎlì:　Tīngshuō Wáng Lán bèi chē zhuàng shāng le, shì ma?

刘京：　是 的，她 住 院 了。
Liú Jīng:　Shì de, tā zhù yuàn le.

大卫：　今天 下午 我们　去 看看 她 吧。
Dàwèi:　Jīntiān xiàwǔ wǒmen qù kànkan tā ba.

玛丽：　好 的。我们　带 点儿 什么　去?
Mǎlì:　Hǎo de. Wǒmen dài diǎnr shénme qu?

大卫：　带 些 水果 什么 的 吧。
Dàwèi:　Dài xiē shuǐguǒ shénmede ba.

玛丽：　好，我们　现在 就 去 买。
Mǎlì:　Hǎo, wǒmen xiànzài jiù qù mǎi.

刘京：　对 了，最近 医院 前边　修 路，汽车 到 不 了
Liú Jīng:　Duìle, zuìjìn yīyuàn qiánbian xiū lù, qìchē dào bu liǎo

　　　医院　门口。
　　　yīyuàn ménkǒu.

玛丽：　那 怎么 办?
Mǎlì:　Nà zěnme bàn?

大卫: 我们 在前一站 下车，从 那儿 走着 去
Dàwèi: Wǒmen zài qián yí zhàn xià chē, cóng nàr zǒuzhe qù

很 近。
hěn jìn.

2......

玛丽: 王 兰，你 好 点儿 了 吗?
Mǎlì: Wáng Lán, nǐ hǎo diǎnr le ma?

刘京: 看 样子，你 好 多 了。
Liú Jīng: Kàn yàngzi, nǐ hǎo duō le.

王兰: 我 觉得 一 天 比 一 天 好。
Wáng Lán: Wǒ juéde yì tiān bǐ yì tiān hǎo.

大卫: 我们 给 你 带来 一些 吃 的，保证 你 喜欢。
Dàwèi: Wǒmen gěi nǐ dài lai yìxiē chī de, bǎozhèng nǐ xǐhuan.

王兰: 谢谢 你们。
Wáng Lán: Xièxie nǐmen.

玛丽: 你 在 这儿 过 得 怎么样?
Mǎlì: Nǐ zài zhèr guò de zěnmeyàng?

王兰: 眼镜 摔 坏 了，看 不 了 书。
Wáng Lán: Yǎnjìng shuāi huài le, kàn bu liǎo shū.

刘京: 别 着急，给 你 带来 了 随身听。
Liú Jīng: Bié zháojí, gěi nǐ dài lai le suíshēntīng.

大卫: 你 好好儿 休息，下 次 我们 再 来 看 你。
Dàwèi: Nǐ hǎohāor xiūxi, xià cì wǒmen zài lái kàn nǐ.

王兰:
Wáng Lán:
不用 了, 大夫 说 我 下 星期 就 能 出 院。
Búyòng le, dàifu shuō wǒ xià xīngqī jiù néng chū yuàn.

大卫:
Dàwèi:
真 的? 下 个 周末 有 舞会, 我们 等 你
Zhēn de? Xià ge zhōumò yǒu wǔhuì, wǒmen děng nǐ

来 跳 舞。
lái tiào wǔ.

王兰:
Wáng Lán:
好, 我 一定 准时 到。
Hǎo, wǒ yídìng zhǔnshí dào.

Zhùshì
注释：Notes

① "什么的" "shénmede" and so on, and whatnot

用在一个成分或几个并列成分之后，表示"等等"或"……之类"的意思。如："喝点儿咖啡、雪碧什么的"；"洗洗衣服、做做饭什么的"。不用于人或地方。

Yòng zài yí ge chéngfèn huò jǐ ge bìngliè chéngfèn zhīhòu, biǎoshì "děngděng" huò "···zhī lèi" de yìsi. Rú: "hē diǎnr kāfēi、Xuěbì shénmede"; "xǐxi yīfu、zuòzuo fàn shénmede". Bú yòngyú rén huò dìfang.

When "什么 shénme" takes "的 de" and is placed after an element or several coordinate elements, it denotes "等等 děngděng" (and so forth) or "···之类 zhī lèi" (and such things). E.g. "喝点儿咖啡、雪碧什么的 hē diǎnr kāfēi、Xuěbì shénmede"; "洗洗衣服、做做饭什么的 xǐxi yīfu、zuòzuo fàn shénmede." It cannot be used for person and place.

② "我觉得一天比一天好。" "Wǒ juéde yì tiān bǐ yì tiān hǎo."
I am feeling better and better each day.

"一天比一天"作状语，表示随着时间的推移，事物变化的程度递增或递减。也可以说"一年比一年"或"一次比一次"等。

"Yì tiān bǐ yì tiān" zuò zhuàngyǔ, biǎoshì suízhe shíjiān de tuīyí, shìwù biànhuà de chéngdù dìzēng huò dìjiǎn. Yě kěyǐ shuō "yì nián bǐ yì nián" huò "yí cì bǐ yí cì" děng.

"一天比一天 yì tiān bǐ yì tiān," as an adverbial, means that things are changing for the better or worse as time goes by. One may also say "一年比一年 yì nián bǐ yì nián" and "一次比一次 yí cì bǐ yí cì."

3 替换与扩展 Tìhuàn yǔ Kuòzhǎn — Substitution and Extension

▷ 替换 Tìhuàn

1. 王兰被车撞伤了。
Wáng Lán bèi chē zhuàng shāng le.

树	风	刮倒	画报	孩子	弄脏
shù	fēng	guā dǎo	huàbào	háizi	nòng zāng
杯子	病人	摔坏	杂志	他	借走
bēizi	bìngrén	shuāi huài	zázhì	tā	jiè zǒu

2. 我们给你带来一些
Wǒmen gěi nǐ dài lai yìxiē
吃的。
chī de.

买	胶卷	拿	糖
mǎi	jiāojuǎn	ná	táng
借	影碟	买	方便面
jiè	yǐngdié	mǎi	fāngbiànmiàn
带	面包	借	英文小说
dài	miànbāo	jiè	Yīngwén xiǎoshuō

▷ 扩展 Kuòzhǎn

1. 天 很黑，看样子 要下雨了。
Tiān hěn hēi, kàn yàngzi yào xià yǔ le.

2. 人民 的生活 一年比一年幸福。
Rénmín de shēnghuó yì nián bǐ yì nián xìngfú.

3. 那个戴 眼镜 的人是 谁?
Nàge dài yǎnjìng de rén shì shuí?

4

生词 New Words

1	被	Prep.	bèi	(used in a passive sentence to introduce the agent or doer)
2	撞	V.	zhuàng	to knock down
3	什么的	Part.	shénmede	and so on
4	看样子		kàn yàngzi	it seems..., one looks...
5	最近	N.	zuìjìn	recently
6	保证	V., N.	bǎozhèng	to ensure; assurance
7	眼镜	N.	yǎnjìng	glasses
8	着急	Adj.	zháojí	uneasy; worried
9	周末	N.	zhōumò	weekend
10	准时	Adj.	zhǔnshí	on time
11	树	N.	shù	tree
12	倒	V.	dǎo	to collapse
13	画报	N.	huàbào	pictorial
14	病人	N.	bìngrén	patient
15	杂志	N.	zázhì	magazine
16	胶卷	N.	jiāojuǎn	film
17	糖	N.	táng	sweets
18	方便面	N.	fāngbiànmiàn	instant noodles
19	面包	N.	miànbāo	bread
20	黑	Adj.	hēi	black
21	人民	N.	rénmín	the people
22	戴	V.	dài	to wear, to put on

5

Yǔfǎ
语法 Grammar

被动句 Bèidòng jù　Passive sentences

❶ 用介词"被"引出动作的施动者构成被动句。此种句子多含有不如意的意思。例如：

Yòng jiècí "bèi" yǐn chū dòngzuò de shīdòngzhě gòuchéng bèidòng jù. Cǐ zhǒng jùzi duō hányǒu bù rúyì de yìsi. Lìrú:

The passive sentence with the preposition "被 bèi" introduces the agent of an action and often implies something undesirable happened, e.g.

（1）王兰被车撞伤了。
　　Wáng Lán bèi chē zhuàng shāng le.

（2）树被大风刮倒了。
　　Shù bèi dà fēng guā dǎo le.

❷ "被"的宾语施动者有时可笼统表示，也可不引出施动者。例如：

"Bèi" de bīnyǔ shīdòngzhě yǒushí kě lǒngtǒng biǎoshì, yě kě bù yǐn chū shīdòngzhě. Lìrú:

The agent of the object of "被" can sometimes be generally indicated, or not be introduced, e.g.

（3）自行车被人借走了。
　　Zìxíngchē bèi rén jiè zǒu le.

（4）花瓶被打碎了。
　　Huāpíng bèi dǎ suì le.

❸ 介词"让"、"叫"引出动作的施动者(不可省略)，也可构成被动句，常用于非正式场合的口语中。例如：

Jiècí "ràng"、"jiào" yǐn chū dòngzuò de shīdòngzhě (bù kě shěnglüè), yě kě gòuchéng bèidòng jù, cháng yòngyú fēi zhèngshì chǎnghé de kǒuyǔ zhōng. Lìrú:

The preposition "让 ràng" or "叫 jiào," which can not be omitted, introducing the agent of an action may also form a passive sentence, which is often used in spoken language, e. g.

（5）窗户让风刮开了。
　　Chuānghu ràng fēng guā kāi le.

（6）那张画儿叫小孩儿弄脏了。
　　Nà zhāng huàr jiào xiǎohái r nòng zāng le.

❹ 意义上的被动 Yìyì shang de bèidòng　Passive in meaning

没有"被"、"让"、"叫"等介词标志，但实际意义是被动的。例如：

Méiyǒu "bèi"、"ràng"、"jiào" děng jiècí biāozhì, dàn shíjì yìyì shì bèidòng de. Lìrú:

Sometimes prepositions such as "被 bèi," "让 ràng" and "叫 jiào" can be omitted，with the sentences remaining passive in meaning.

（7）眼镜摔坏了。	（8）衣服洗干净了。
Yǎnjìng shuāi huài le.	Yīfu xǐ gānjìng le.

6

❶ 熟读下列短语并造句 Shú dú xiàliè duǎnyǔ bìng zào jù
Read the following words and expressions until fluent and make sentences with them.

	忘了 wàng le	苹果、橘子 píngguǒ、júzi	
被 bèi	拿走了 ná zǒu le	电视、电影 diànshì、diànyǐng	什么的 shénmede
	弄丢了 nòng diū le	游游泳、散散步 yóuyou yǒng、sànsan bù	
	摔坏了 shuāi huài le	看看花、划划船 kànkan huā、huáhua chuán	

❷ 用所给词语造被动句 Yòng suǒ gěi cíyǔ zào bèidòng jù
Make passive sentences with the given words and expressions.

例：自行车　撞坏　→　我的自行车被汽车撞坏了。
zìxíngchē zhuàng huài → Wǒ de zìxíngchē bèi qìchē zhuàng huài le.

（1）笔　　　弄丢
　　　bǐ　　　nòng diū

（2）杂志　　拿走
　　　zázhì　　ná zǒu

（3）照相机　借走
　　　zhàoxiàngjī　jiè zǒu

（4）电脑　　　弄坏
　　　diànnǎo　　nòng huài

3 把下列"把"字句改为被动句 Bǎ xiàliè "bǎ" zì jù gǎi wéi bèidòng jù
Change the following "把" sentences into passive ones.

> 例：我把眼镜摔坏了。→ 眼镜被我摔坏了。
> 　　Wǒ bǎ yǎnjìng shuāi huài le. → Yǎnjìng bèi wǒ shuāi huài le.

（1）小妹妹把妈妈的手表弄丢了。
　　　Xiǎo mèimei bǎ māma de shǒubiǎo nòng diū le.

（2）真糟糕，我把他的名字写错了。
　　　Zhēn zāogāo, wǒ bǎ tā de míngzi xiě cuò le.

（3）他把文件包忘在出租车上了。
　　　Tā bǎ wénjiànbāo wàng zài chūzūchē shang le.

（4）我正在睡觉，他把我叫起来了。
　　　Wǒ zhèngzài shuì jiào, tā bǎ wǒ jiào qilai le.

（5）大风把小树刮倒了。
　　　Dàfēng bǎ xiǎo shù guā dǎo le.

4 会话 Huìhuà　Conversational drills

去医院看病人。与病人一起谈话。
Qù yīyuàn kàn bìngrén. Yǔ bìngrén yìqǐ tán huà.

提示：医院生活怎么样，病（的）情（况）怎么样，要什么东西等。
Tíshì: Yīyuàn shēnghuó zěnmeyàng, bìng (de) qíng(kuàng) zěnmeyàng, yào shénme
　　　dōngxi děng.

You go to a hospital to visit a patient and have a chat with him (or her).

Suggested points: What is his / her life like in the hospital? How about his/her illness?

　　　　　　　　　　What does he / she need?

5 听述 Tīng shù Listen and retell.

　　小王住院了，上星期六我们去看她。她住的病房有四张病床。有一张是空的，三张病床都有人。我们去看她的时候，她正躺着看书呢。看见我们，她高兴极了。她说想出院。我们劝（quàn, to persuade）她不要着急，出院后我们帮她补（bǔ, to make up）英语，想吃什么就给她送去。她很高兴，不再说出院的事了。

　　Xiǎo Wáng zhù yuàn le, shàng xīngqīliù wǒmen qù kàn tā. Tā zhù de bìngfáng yǒu sì zhāng bìngchuáng. Yǒu yì zhāng shì kòng de, sān zhāng bìngchuáng dōu yǒu rén. Wǒmen qù kàn tā de shíhou, tā zhèng tǎngzhe kàn shū ne. Kàn jiàn wǒmen, tā gāoxìng jí le. Tā shuō xiǎng chū yuàn. Wǒmen quàn tā bú yào zháojí, chū yuàn hòu wǒmen bāng tā bǔ Yīngyǔ, xiǎng chī shénme jiù gěi tā sòng qu. Tā hěn gāoxìng, bú zài shuō chū yuàn de shì le.

6 语音练习 Yǔyīn liànxí Phonetic drills

(1) 常用音节练习 Chángyòng yīnjié liànxí Drill on the frequently used syllables

	bā ge	八个		chūfā	出发
ba	bàba	爸爸	fa	fāngfǎ	方法
	zǒu ba	走吧		lǐ fà	理发

(2) 朗读会话 Lǎngdú huìhuà Read aloud the conversation.

A：Qǐngwèn, Wáng Lán zhù zài jǐ hào bìngfáng?

B：Tā zài wǔ hào yī chuáng, kěshì jīntiān bù néng kàn bìngrén.

A：Wǒ yǒu diǎnr jí shì, ràng wǒ jìnqu ba.

B：Shénme shì?

A：Tā xiǎng chī bīngqílín, xiànzài bú sòng qu, jiù děi hē bīng shuǐ le.

B：Méi guānxi, wǒ kěyǐ gěi tā fàng zài bīngxiāng li.

A：你去过四川 (Sìchuān, Sichuan Province) 吗？看过乐山大佛 (Lèshān Dàfó, the Giant Buddha at Leshan) 吗？

B：我去过四川，可是没看过乐山大佛。

A：没看过？那你一定要去看看这尊 (zūn, a measure word) 有名的大佛！

B：乐山大佛有多大？

A：他坐着从头到脚 (jiǎo, foot) 就有 71 米 (mǐ, meter)。他的头有 14 米长，耳朵 (ěrduo, ear) 7 米长。

B：啊，真大啊！那他的脚一定更大了。

A：那当然。大佛的脚有多大，我记不清楚了。不过可以这样说，他的一只脚上可以停五辆大汽车。

B：真了不起 (liǎobuqǐ, extraordinary)！这尊大佛是什么时候修建 (xiūjiàn, to build) 的？

A：唐代 (Táng Dài, Tang Dynasty) 就修建了，大佛在那儿已经坐了一千 (qiān, thousand) 多年了。你看，这些照片都是在那儿照的。

B：照得不错。那儿的风景也很美。你是什么时候去的？

A：2002 年 9 月坐船去的。我还想再去一次呢。

B：听了你的介绍，我一定去看看大佛。要是你有时间，我们一起去，就可以请你当导游了。

A：没问题。

A: Nǐ qùguo Sìchuān ma? Kànguo Lèshān Dàfó ma?

B: Wǒ qùguo Sìchuān, kěshì méi kànguo Lèshān Dàfó.

A: Méi kànguo? Nà nǐ yídìng yào qù kànkan zhè zūn yǒumíng de Dàfó.

B: Lèshān Dàfó yǒu duō dà?

A: Tā zuòzhe cóng tóu dào jiǎo jiù yǒu qīshíyī mǐ. Tā de tóu yǒu shísì mǐ cháng, ěrduo qī mǐ cháng.

B: Ā, zhēn dà a! Nà tā de jiǎo yídìng gèng dà le.

A: Nà dāngrán. Dàfó de jiǎo yǒu duō dà, wǒ jì bu qīngchu le. Búguò kěyǐ zhèyàng shuō, tā de yì zhī jiǎo shang kěyǐ tíng wǔ liàng dà qìchē.

B: Zhēn liǎobuqǐ! Zhè zūn Dàfó shì shénme shíhou xiūjiàn de?

A: Táng Dài jiù xiūjiàn le, Dàfó zài nàr yǐjīng zuò le yì qiān duō nián le. Nǐ kàn, zhèxiē zhàopiàn dōu shì zài nàr zhào de.

B: Zhào de búcuò. Nàr de fēngjǐng yě hěn měi. Nǐ shì shénme shíhou qù de?

A: Èr líng líng èr nián jiǔyuè zuò chuán qù de. Wǒ hái xiǎng zài qù yí cì ne.

B: Tīngle nǐ de jièshào, wǒ yídìng qù kànkan Dàfó. Yàoshi nǐ yǒu shíjiān, wǒmen yìqǐ qù, jiù kěyǐ qǐng nǐ dāng dǎoyóu le.

A: Méi wèntí.

二、语法 Yǔfǎ Grammar

1. 几种补语 Jǐ zhǒng bǔyǔ Several kinds of complements

① 程度补语 Chéngdù bǔyǔ The complement of degree

程度补语一般由形容词充任,动词短语、副词等也可作程度补语。大部分程度补语必须带"得",也有一类不带"得"的。例如:

Chéngdù bǔyǔ yìbān yóu xíngróngcí chōngrèn, dòngcí duǎnyǔ、fùcí děng yě kě zuò chéngdù bǔyǔ. Dà bùfen chéngdù bǔyǔ bìxū dài "de", yě yǒu yí lèi bú dài "de" de. Lìrú:

A complement of degree is usually made up of an adjective. But a verb phrase or an adverb can also be used as a complement of degree. Most complements of degree must be preceded by "得 de," with only one exception, e.g.

(1) 老师说得很慢。
Lǎoshī shuō de hěn màn.

(2) 他高兴得不知道说什么好。
Tā gāoxìng de bù zhīdào shuō shénme hǎo.

(3) 这儿比那儿冷得多。
Zhèr bǐ nàr lěng de duō.

(4) 那只小狗可爱极了。
Nà zhī xiǎo gǒu kě'ài jí le.
(不带"得"的程度补语)
(bú dài "de" de chéngdù bǔyǔ)

2 结果补语 Jiéguǒ bǔyǔ   The complement of result

（1）你看见和子了吗？
　　 Nǐ kàn jiàn Hézǐ le ma?

（2）你慢点儿说，我能听懂。
　　 Nǐ màn diǎnr shuō, wǒ néng tīng dǒng.

（3）玛丽住在九楼。
　　 Mǎlì zhù zài jiǔ lóu.

（4）我把啤酒放在冰箱里了。
　　 Wǒ bǎ píjiǔ fàng zài bīngxiāng li le.

3 趋向补语 Qūxiàng bǔyǔ   The directional complement

（1）王老师从楼上下来了。
　　 Wáng lǎoshī cóng lóu shàng xiàlai le.

（2）玛丽进大厅去了。
　　 Mǎlì jìn dàtīng qu le.

（3）他买回来很多水果。
　　 Tā mǎi huilai hěn duō shuǐguǒ.

（4）那个包你放进衣柜里去吧。
　　 Nàge bāo nǐ fàng jìn yīguì li qu ba.

4 可能补语 Kěnéng bǔyǔ   The complement of possibility

结果补语、简单或复合趋向补语前加“得”或“不”，都可构成可能补语。例如：

Jiéguǒ bǔyǔ、jiǎndān huò fùhé qūxiàng bǔyǔ qián jiā " de " huò " bù ", dōu kě

gòuchéng kěnéng bǔyǔ. Lìrú：

Either a complement of result or a simple or compound directional complement，if preceded

by "得 de" or "不 bu," can constitute a complement of possibility，e.g.

（1）练习不太多，今天晚上我做得完。
　　 Liànxí bú tài duō, jīntiān wǎnshang wǒ zuò de wán.

（2）我听不懂你说的话。
　　 Wǒ tīng bu dǒng nǐ shuō de huà.

（3）现在去长城，下午两点回得来回不来？
　　 Xiànzài qù Chángchéng, xiàwǔ liǎng diǎn huí de lái huí bu lái?

（4）衣柜很小，这个包放不进去。
　　 Yīguì hěn xiǎo, zhège bāo fàng bu jìnqù.

5 数量补语 Shùliàng bǔyǔ   The complement of quantity

（1）姐姐比妹妹大三岁。
　　 Jiějie bǐ mèimei dà sān suì.

（2）大卫比我高一点儿。
　　 Dàwèi bǐ wǒ gāo yìdiǎnr.

（3）那本词典比这本便宜两块多钱。
Nà běn cídiǎn bǐ zhè běn piányi liǎng kuài duō qián.

6 动量补语 Dòngliàng bǔyǔ The complement of frequency

（1）来北京以后，他只去过一次动物园。
Lái Běijīng yǐhòu, tā zhǐ qùguo yí cì dòngwùyuán.

（2）我去找了他两次。
Wǒ qù zhǎole tā liǎng cì.

7 时量补语 Shíliàng bǔyǔ The complement of duration

（1）我们休息了二十分钟。 （2）他只学了半年汉语。
Wǒmen xiūxile èrshí fēnzhōng. Tā zhǐ xuéle bàn nián Hànyǔ.

（3）大卫做练习做了一个小时。 （4）小王已经毕业两年了。
Dàwèi zuò liànxí zuòle yí ge xiǎoshí. Xiǎo Wáng yǐjīng bì yè liǎng nián le.

2．结构助词"的"、"得"、"地"Jiégòu zhùcí "de"、"de"、"de"
The structural particles "的", "得"and "地"

1 "的"用在定语和中心语之间。例如：
"De" yòng zài dìngyǔ hé zhōngxīnyǔ zhījiān. Lìrú:
"的 de" is used between an attributive and a headword, e.g.

（1）穿白衣服的同学是他的朋友。
Chuān bái yīfu de tóngxué shì tā de péngyou.

（2）那儿有个很大的商店。
Nàr yǒu ge hěn dà de shāngdiàn.

2 "得"用在动词、形容词和补语之间。例如：
"De" yòng zài dòngcí、xíngróngcí hé bǔyǔ zhījiān. Lìrú:
"得 de" is put between a verbal or adjectival predicate and a complement, e.g.

（1）我的朋友在北京过得很愉快。
Wǒ de péngyou zài Běijīng guòde hěn yúkuài.

（2）这些东西你拿得了拿不了？
Zhèxiē dōngxi nǐ ná de liǎo ná bu liǎo?

③ "地" 用在状语和动词之间。例如：

"De" yòng zài zhuàngyǔ hé dòngcí zhījiān. Lìrú:

"地 de" is inserted between an adverbial adjunct and a verb, e.g.

> （1）小刘高兴地说："我今天收到三封信。"
> Xiǎo Liú gāoxìng de shuō: "Wǒ jīntiān shōu dào sān fēng xìn."
>
> （2）中国朋友热情地欢迎我们。
> Zhōngguó péngyou rèqíng de huānyíng wǒmen.

三、练习 Exercises

① 按照实际情况回答下列问题 Ànzhào shíjì qíngkuàng huídá xiàliè wèntí
Answer the following questions according to actual situations.

（1）说说你的宿舍是怎么布置的？（用上"着"）
Shuōshuo nǐ de sùshè shì zěnme bùzhì de? (yòng shàng "zhe")

（2）说说你一天的生活。（用上趋向补语"来"、"去"）
Shuōshuo nǐ yì tiān de shēnghuó. (yòng shàng qūxiàng bǔyǔ "lái"、"qù")

（3）介绍一次旅游的情况。（买票、找旅馆、参观、游览）
Jièshào yí cì lǚyóu de qíngkuàng. (mǎi piào、zhǎo lǚguǎn、cānguān、yóulǎn)

② 会话 Huìhuà Conversational drills

（1）旅游 Lǚyóu Traveling

① 买票 Mǎi piào Buying a ticket

到……的票还有吗？
Dào···de piào hái yǒu ma?

要……次的？
Yào···cì de?

预订……张…… (时间) 的票。
Yùdìng···zhāng··· (shíjiān) de piào.

几点开(起飞)？
Jǐ diǎn kāi (qǐfēi)?

要硬卧(软卧)。
Yào yìngwò (ruǎnwò).

坐……要坐多长时间？
Zuò···yào zuò duō cháng shíjiān?

② 旅馆 Lǚguǎn　Hotel

有空房间吗？　　　　　　住一天多少钱？
Yǒu kòng fángjiān ma?　　Zhù yì tiān duōshao qián?

几个人一个房间？　　　　餐厅（舞厅、咖啡厅……）在
Jǐ ge rén yí ge fángjiān?　Cāntīng (wǔtīng、kāfēitīng…) zài

有洗澡间吗？　　　　　　哪儿？
Yǒu xǐzǎojiān ma?　　　　nǎr?

③ 参观游览 Cānguān yóulǎn　Visiting places of interest

这儿的风景……　　　　　顺便到……
Zhèr de fēngjǐng…　　　　shùnbiàn dào…

有什么名胜古迹？　　　　跟……一起……
Yǒu shénme míngshèng gǔjì?　gēn…yìqǐ…

先去……再去……　　　　当导游
xiān qù…zài qù…　　　　dāng dǎoyóu

（2）看病 Kàn bìng　Seeing a doctor

你怎么了？　　　　　　　我不舒服。
Nǐ zěnme le?　　　　　　Wǒ bù shūfu.

试试表吧。　　　　　　　头疼。
Shìshi biǎo ba.　　　　　Tóu téng.

发烧……度。　　　　　　嗓子疼。
Fā shāo…dù.　　　　　　Sǎngzi téng.

感冒了。　　　　　　　　咳嗽。
Gǎnmào le.　　　　　　　Késou.

吃点儿药。　　　　　　　什么病？
Chī diǎnr yào.　　　　　Shénme bìng?

一天吃……次。
Yì tiān chī…cì.

一天打……针。
Yì tiān dǎ…zhēn.

住（出）院吧。
Zhù (chū) yuàn ba.

（3）探望 Tànwàng　Seeing a patient

什么时候能看病人？　　　　　　　谢谢你……来看我。
Shénme shíhou néng kàn bìngrén?　　Xièxie nǐ···lái kàn wǒ.

给他买点儿什么？　　　　　　　　（你们）太客气了。
Gěi tā mǎi diǎnr shénme?　　　　　（Nǐmen）tài kèqi le.

你好点儿了吗？　　　　　　　　　现在好多了。
Nǐ hǎo diǎnr le ma?　　　　　　　Xiànzài hǎo duō le.

看样子你……
Kàn yàngzi nǐ···

别着急，好好休息。
Bié zháojí, hǎohāo xiūxi.

你要什么吗？
Nǐ yào shénme ma?

医院的生活怎么样？
Yīyuàn de shēnghuó zěnmeyàng?

什么时候出院？
Shénme shíhou chū yuàn?

❸ **完成对话** Wánchéng duìhuà　Complete the following conversation.

A：玛丽，天津离北京这么近。星期四我们去玩儿玩儿吧。

B：好，我们可以让＿＿＿＿＿＿＿＿＿＿＿＿＿＿＿。

A：不行，小刘病了。

B：＿＿＿＿＿＿＿＿＿＿＿＿＿＿＿？

A：他发烧、咳嗽。

B：＿＿＿＿＿＿＿＿＿＿＿＿＿？ 我怎么不知道。

A：昨天晚上开始的。

B：＿＿＿＿＿＿＿＿＿＿＿＿＿，我们自己去不方便。

A：也好，等小刘好了再去吧。

A：Mǎlì, Tiānjīn lí Běijīng zhème jìn. Xīngqīsì wǒmen qù wánrwanr ba.

B：Hǎo, wǒmen kěyǐ ràng_____.

A：Bù xíng, Xiǎo Liú bìng le.

B：_____?

A：Tā fā shāo、késou.

B：_____? Wǒ zěnme bù zhīdào.

A：Zuótiān wǎnshang kāishǐ de.

B：_____, wǒmen zìjǐ qù bù fāngbiàn.

A：Yě hǎo, děng Xiǎo Liú hǎo le zài qù ba.

4 语音练习 Yǔyīn liànxí   Phonetic drills

（1）声调练习：第一声＋第三声 Shēngdiào liànxí：dì-yī shēng + dì-sān shēng
Drill on tones：1st tone＋3rd tone

yāoqǐng   邀请

yāoqǐng qīnyǒu   邀请亲友

yāoqǐng qīnyǒu hē jiǔ   邀请亲友喝酒

（2）朗读会话 Lǎngdú huìhuà Read aloud the conversation.

A：Dàifu, wǒ sǎngzi téng.

B：Yǒudiǎnr hóng, yào duō hē shuǐ.

A：Wǒ hē de bù shǎo.

B：Bié chī de tài xián.

A：Wǒ zhīdào.

B：Xiànzài nǐ qù ná yào, yàoshi bù hǎo, zài lái kàn.

A：Hǎo, xièxie. Zàijiàn!

Wǒ yào huí guó le
我要回国了
I'LL RETURN TO MY HOME COUNTRY

Jùzi
句子 Sentences

261 好久 不见 了。   I haven't seen you for ages.
Hǎojiǔ bú jiàn le.

262 你 今天 怎么 有 空儿 来   What brings you here today?
Nǐ jīntiān zěnme yǒu kòngr lái

了?
le?

263 我 来 向 你 告别。   I've come to say goodbye to you.
Wǒ lái xiàng nǐ gào bié.

264 我 常 来 打扰 你，很   I am sorry to trouble you so often.
Wǒ cháng lái dǎrǎo nǐ, hěn

过 意 不 去。
guò yì bú qù.

265 你 那么 忙，不用 送   Don't bother to see me off. You are
Nǐ nàme máng, búyòng sòng   so busy.

我 了。
wǒ le.

266 我 一边 学习，一边 工作。
Wǒ yìbiān xuéxí, yìbiān gōngzuò.

I study and work at the same time.

267 朋友们 有的 知道，有的
Péngyoumen yǒude zhīdào, yǒude

不 知道。
bù zhīdào.

Some friends know this, but others don't.

268 趁 这 两 天 有 空儿，我
Chèn zhè liǎng tiān yǒu kòngr, wǒ

去 向 他们 告别。
qù xiàng tāmen gào bié.

I'll go and say goodbye to them, as I am free in the next few days.

Huìhuà
会话 Conversations

玛丽: 你 好，王 先生！
Mǎlì: Nǐ hǎo, Wáng xiānsheng!

王: 玛丽 小姐，好久 不 见 了。今天 怎么 有 空儿
Wáng: Mǎlì xiǎojie, hǎojiǔ bú jiàn le. Jīntiān zěnme yǒu kòngr

来 了？
lái le?

玛丽: 我 来 向 你 告别。
Mǎlì: Wǒ lái xiàng nǐ gào bié.

GAOBIE 告别

Bidding Farewell

王： 你 要 去 哪儿?
Wáng： Nǐ yào qù nǎr?

玛丽： 我 要 回国 了。
Mǎlì： Wǒ yào huí guó le.

王： 日子 过 得 真 快，你 来 北京 已经 一 年 了。
Wáng： Rìzi guò de zhēn kuài, nǐ lái Běijīng yǐjīng yì nián le.

玛丽： 常 来 打扰 你，很 过 意 不 去。
Mǎlì： Cháng lái dǎrǎo nǐ, hěn guò yì bú qù.

王： 哪儿 的 话①，因为 忙，对 你 的 照顾 很 不 够。
Wáng： Nǎr de huà, yīnwèi máng, duì nǐ de zhàogù hěn bú gòu.

玛丽： 你 太 客气 了。
Mǎlì： Nǐ tài kèqi le.

王： 哪 天 走? 我 去 送 你。
Wáng： Nǎ tiān zǒu? Wǒ qù sòng nǐ.

玛丽： 你 那么 忙，不用 送 了。
Mǎlì： Nǐ nàme máng, búyòng sòng le.

2……

刘京：　这 次 回国，你 准备 工作 还是 继续 学习?
Liú Jīng: Zhè cì huí guó, nǐ zhǔnbèi gōngzuò háishi jìxù xuéxí?

大卫：　我 打算 考 研究生，一边 学习，一边 工作。
Dàwèi: Wǒ dǎsuàn kǎo yánjiūshēng, yìbiān xuéxí, yìbiān gōngzuò.

刘京：　那 很 辛苦 啊。
Liú Jīng: Nà hěn xīnkǔ a.

大卫：　没 什么，我们 那儿 很 多人 都 这样。
Dàwèi: Méi shénme, wǒmen nàr hěn duō rén dōu zhèyàng.

刘京：　你 要 回国 的 事，朋友们 都 知道 了 吗?
Liú Jīng: Nǐ yào huí guó de shì, péngyoumen dōu zhīdào le ma?

大卫：　有的 知道，有的 不 知道。趁 这 两 天 有
Dàwèi: Yǒude zhīdào, yǒude bù zhīdào. Chèn zhè liǎng tiān yǒu

空儿，我 去 向 他们 告别。
kòngr, wǒ qù xiàng tāmen gào bié.

Zhùshì
注释：Notes

① "哪儿的话。""Nǎr de huà." That's ok.

用在答话里表示否定的客气话。一般用在对方表示自谦或抱歉时。

Yòng zài dáhuà li biǎoshì fǒudìng de kèqihuà. Yìbān yòng zài duìfāng biǎoshì zìqiān huò bàoqiàn shí.

"哪儿的话 nǎr de huà" has a negative connotation and is a common polite reply to somebody's self-abasement or apology.

3 *Tìhuàn yǔ Kuòzhǎn*
替换与扩展 Substitution and Extension

替换 Tìhuàn

1. 你 来北京 已经一年 了。
Nǐ lái Běijīng yǐjīng yì nián le.

他	离开上海	两年
tā	lí kāi Shànghǎi	liǎng nián
我	起床	一刻钟
wǒ	qǐ chuáng	yí kèzhōng
小王	去欧洲	三个月
Xiǎo Wáng	qù Ōuzhōu	sān ge yuè

2. 一边学习，一边工作。
Yìbiān xuéxí, yìbiān gōngzuò.

看电视	谈话	跳舞	唱歌
kàn diànshì	tán huà	tiào wǔ	chàng gē
喝茶	讨论	散步	聊天儿
hē chá	tǎolùn	sàn bù	liáo tiānr

3. 朋友们有的知道，有的
Péngyoumen yǒude zhīdào, yǒude
不知道。
bù zhīdào.

同学	来	不来
tóngxué	lái	bù lái
老师	参加	不参加
lǎoshī	cānjiā	bù cānjiā

扩展 Kuòzhǎn

1. 这 两 天 我 得 去 办 各 种 手续，没 时间
Zhè liǎng tiān wǒ děi qù bàn gè zhǒng shǒuxù, méi shíjiān

去 向 你 告别 了。请 原谅。
qù xiàng nǐ gào bié le. Qǐng yuánliàng.

2. 有 几 位 老 朋友 好久 不 见 了，趁 出
Yǒu jǐ wèi lǎo péngyou hǎojiǔ bú jiàn le, chèn chū

差 的 机会 去 看看 他们。
chāi de jīhuì qù kànkan tāmen.

4

Shēngcí
生词 New Words

1	向	Prep.	xiàng	to, towards
2	告别		gào bié	to depart, to say goodbye
3	打扰	V.	dǎrǎo	to trouble, to bother
4	过意不去		guò yì bú qù	to be sorry
5	那么	Pron.	nàme	in this way, like that
6	一边…		yìbiān…	at the same time
	一边…		yìbiān…	
7	们	Suf.	men	(plural suffix)
8	趁	Prep.	chèn	to take the advantage of
9	日子	N.	rìzi	time, days
10	已经	Adv.	yǐjīng	already
11	因为	Conj.	yīnwèi	because
12	照顾	V.	zhàogù	to take care of
13	够	V.	gòu	to be enough
14	准备	V.	zhǔnbèi	to prepare
15	继续	V.	jìxù	to continue
16	打算	V., N.	dǎsuàn	to plan, to want; intention
17	研究生	N.	yánjiūshēng	postgraduate
18	离开		lí kāi	to leave
19	聊天儿		liáo tiānr	to chat

| 20 老 | Adj. | lǎo | old, veteran |
| 21 机会 | N. | jīhuì | chance, opportunity |

Zhuānmíng
专名 Proper Name

| 欧洲 | Ōuzhōu | Europe |

5

Yǔfǎ
语法 Grammar

1. 时量补语 Shíliàng bǔyǔ(3) The complement of duration(3)

有些动词，如"来"、"去"、"到"、"下(课)"、"离开"等加时量补语，不是表示动作的持续，而是表示从发生到某时(或说话时)的一段时间。动词后有宾语时，时量补语要放在宾语之后。例如：

Yǒuxiē dòngcí, rú "lái"、"qù"、"dào"、"xià (kè)"、"lí kāi" děng jiā shíliàng bǔyǔ, bú shì biǎoshì dòngzuò de chíxù, ér shì biǎoshì cóng fāshēng dào mǒu shí (huò shuō huà shí) de yí duàn shíjiān. Dòngcí hòu yǒu bīnyǔ shí, shíliàng bǔyǔ yào fàng zài bīnyǔ zhīhòu. Lìrú:

Some actions, e.g. "来 lái," "去 qù," "到 dào," "下(课) xià (kè) ," "离开 lí kāi," are not durational. If one wants to indicate the period from the time an action occurs to a later specific point in time (or time of speaking), one may use a complement of duration. When an object follows a verb, the complement of duration is put after the object, e.g.

（1）他来北京一年了。　　　　（2）下课十五分钟了。
　　　Tā lái Běijīng yì nián le.　　　Xià kè shíwǔ fēnzhōng le.

2. "有的……有的……" "yǒude…yǒude…"
　　The expression"有的…有的…"(some...and the others...)

❶ 代词"有的"作定语时，常指它所修饰的名词的一部分，可以单用，也可以两三个连用。例如：

Dàicí "yǒude" zuò dìngyǔ shí, cháng zhǐ tā suǒ xiūshì de míngcí de yí bùfen, kěyǐ dān yòng, yě kěyǐ liǎng sān ge lián yòng. Lìrú:

When "有的 yǒude" is used as an attributive, it modifies the noun, usually referring to part of the whole denoted by the noun. It can occur once, twice or thrice in a sentence, e.g.

（1）有的话我没听懂。

Yǒude huà wǒ méi tīng dǒng.

（2）我们班有的同学喜欢看电影，有的(同学)喜欢听音乐，有的(同学)喜欢看小说。

Wǒmen bān yǒude tóngxué xǐhuan kàn diànyǐng, yǒude (tóngxué) xǐhuan tīng yīnyuè, yǒude (tóngxué) xǐhuan kàn xiǎoshuō.

② 如果所修饰的名词前面已出现过，也可以省略。例如：

Rúguǒ suǒ xiūshì de míngcí qiánmian yǐ chūxiànguo, yě kěyǐ shěnglüè. Lìrú:

If the noun it modifies appears in the previous text, it can be omitted, e.g.

（3）他的书很多，有的是中文的，有的是英文的。

Tā de shū hěn duō, yǒude shì Zhōngwén de, yǒude shì Yīngwén de.

6

练习 Liànxí Exercises

① **熟读下列短语并造句** Shú dú xiàliè duǎnyǔ bìng zào jù

Read the following words and expressions until fluent and make sentences with them.

（1）趁 chèn	放假的时候 fàng jià de shíhou	（2）向 xiàng	他告别 tā gào bié
	天气好 tiānqì hǎo		小王学习 Xiǎo Wáng xuéxí
	这几天不忙 zhè jǐ tiān bù máng		前看 qián kàn

（3）好 hǎo	多 duō	（4）准备 zhǔnbèi	回国 huí guó
	几个星期 jǐ ge xīngqī		结婚 jié hūn
	长时间 cháng shíjiān		得怎么样了 de zěnmeyàng le
			生日礼物 shēngrì lǐwù

（5）已经　　毕业了
　　　yǐjīng　　bì yè le

出院了
chū yuàn le

修好了
xiū hǎo le

十二点了
shí'èr diǎn le

2 选择适当的词语完成句子 Xuǎnzé shìdàng de cíyǔ wánchéng jùzi
Complete the sentences with proper words and phrases.

有的　继续　撞　老　出差　够
yǒude　jìxù　zhuàng　lǎo　chū chāi　gòu

（1）你的病还没好，应该＿＿＿＿＿＿＿＿。
Nǐ de bìng hái méi hǎo, yīnggāi＿＿＿＿＿＿＿.

（2）买两本书得十五块钱，我带的＿＿＿＿＿＿，买一本吧。
Mǎi liǎng běn shū děi shíwǔ kuài qián, wǒ dài de＿＿＿＿＿＿, mǎi
yì běn ba.

（3）他已经五十岁了，可是看样子＿＿＿＿＿＿。
Tā yǐjīng wǔshí suì le, kěshì kàn yàngzi＿＿＿＿＿.

（4）他＿＿＿＿＿＿，很少在家。
Tā＿＿＿＿＿＿, hěn shǎo zài jiā.

（5）那棵小树昨天被汽车＿＿＿＿＿＿。
Nà kē xiǎo shù zuótiān bèi qìchē＿＿＿＿＿.

（6）我有很多中国朋友，＿＿＿＿＿＿＿＿＿＿＿＿。
Wǒ yǒu hěn duō Zhōngguó péngyou, ＿＿＿＿＿＿＿＿＿.

3 为词语选择适当的位置 Wèi cíyǔ xuǎnzé shìdàng de wèizhì
Find appropriate places for the words in parentheses.

（1）李成日 A 离开 B 北京 C 了。（一年）
Lǐ Chéngrì A lí kāi B Běijīng C le. (yì nián)

（2）他 A 去 B 医院 C 了。（两个半小时）

　　Tā A qù B yīyuàn C le. (liǎng ge bàn xiǎoshí)

（3）他 A 大学 B 毕业 C 了。（两年）

　　Tā A dàxué A bì yè C le. (liǎng nián)

（4）他 A 已经 B 起床 C 了。（半个小时）

　　Tā A yǐjīng B qǐ chuáng C le. (bàn ge xiǎoshí)

（5）他们 A 结 B 婚 C 了。（十多年）

　　Tāmen A jié B hūn C le. (shí duō nián)

4 按照实际情况回答下列问题 Ànzhào shíjì qíngkuàng huídá xiàliè wèntí
Answer the following questions according to actual situations.

（1）你来北京多长时间了？

　　Nǐ lái Běijīng duō cháng shíjiān le?

（2）你什么时候中学毕业的？毕业多长时间了？

　　Nǐ shénme shíhou zhōngxué bì yè de? Bì yè duō cháng shíjiān le?

（3）你现在穿的这件衣服，买了多长时间了？

　　Nǐ xiànzài chuān de zhè jiàn yīfu, mǎile duō cháng shíjiān le?

（4）你离开你们的国家多长时间了？

　　Nǐ lí kāi nǐmen de guójiā duō cháng shíjiān le?

5 完成对话 Wánchéng duìhuà　Complete the following conversation.

A：小王，我要回国了。

B：＿＿＿＿＿＿＿＿＿＿？

A：二十号晚上走。

B：＿＿＿＿＿＿＿＿＿＿？

A：准备得差不多了。

B：＿＿＿＿＿＿＿＿＿＿？

A：不用帮忙，我自己可以。

B：＿＿＿＿＿＿＿＿＿＿。

A：你很忙，不用送我了。

A: Xiǎo Wáng, wǒ yào huí guó le.

B: _____?

A: Èrshí hào wǎnshang zǒu.

B: _____?

A: Zhǔnbèi de chàbuduō le.

_____?

A: Búyòng bāng máng, wǒ zìjǐ kěyǐ.

B: _____.

A: Nǐ hěn máng, búyòng sòng wǒ le.

6 **会话** Huìhuà   Conversational drills

你来中国的时候向国内的朋友告别。

Nǐ lái Zhōngguó de shíhou xiàng guónèi de péngyou gào bié.

提示：朋友问你学什么，学习多长时间；你问他们有没有要办的事等。

Tíshì: Péngyou wèn nǐ xué shénme, xuéxí duō cháng shíjiān; nǐ wèn tāmen yǒu

méiyǒu yào bàn de shì děng.

You bid farewell to your friends when you are leaving for China.

Suggested points: Your friends ask what you would study and how long you would study.

You ask what you could do for them.

7 **听述** Tīng shù   Listen and retell.

明天我要去旅行。这次去的时间比较长，得去向朋友告别一下儿，可是老张住院了。

在北京的这些日子里，老张像家里人一样照顾我，我也常去打扰他，我觉得很过意不去。今天不能去跟他告别，我就给他写一封信去，问他好吧。希望(xīwàng, to hope)我回来的时候他已经出院了。

Míngtiān wǒ yào qù lǚxíng. Zhè cì qù de shíjiān bǐjiào cháng, děi qù xiàng péngyou gào bié yíxiàr, kěshì Lǎo Zhāng zhù yuàn le.

MANDARIN CHINESE
—Learning Through Conversation

Zài Běijīng de zhèxiē rìzi li, Lǎo Zhāng xiàng jiālirén yíyàng zhàogù wǒ, wǒ yě cháng qù dǎrǎo tā, wǒ juéde hěn guò yì bú qù. Jīntiān bù néng qù gēn tā gào bié, wǒ jiù gěi tā xiě yì fēng xìn qu, wèn tā hǎo ba. Xīwàng wǒ huílai de shíhou tā yǐjīng chū yuàn le.

8 语音练习 Yǔyīn liànxí   Phonetic drills

（1）常用音节练习 Chángyòng yīnjié liànxí   Drill on the frequently used syllables

fu	fūren	夫人		jing	yǐjīng	已经
	fùqin	父亲			jǐngchá	警察
	dàifu	大夫			ānjìng	安静

（2）朗读会话 Lǎngdú huìhuà   Read aloud the conversation.

A：Wáng Lán, wǒ xiàng nǐ gào bié lái le.

B：Zhēn qiǎo, wǒ zhèng yào qù kàn nǐ ne. Qǐng jìn.

A：Nǐ nàme máng, hái chángcháng zhàogù wǒ, wǒ fēicháng gǎnxiè.

B：Nǎr de huà, zhàogù de hěn bú gòu.

Zhēn shěbude nǐmen zǒu

真舍不得你们走

IT'S TOO BAD YOU HAVE TO LEAVE

1

Jùzi
句子 Sentences

269 回 国 的 日子 越 来 越
Huí guó de rìzi yuè lái yuè

The day of returning to my home country is drawing near.

近 了。
jìn le.

270 虽然 时间 不 长, 但是
Suīrán shíjiān bù cháng, dànshì

We haven't stayed together for long, but we have already built a firm friendship.

我们 的 友谊 很 深。
wǒmen de yǒuyì hěn shēn.

271 我们 把 通讯 地址 都
Wǒmen bǎ tōngxùn dìzhǐ dōu

We've already written down the addresses in our notebooks.

留 在 本子 上 了。
liú zài běnzi shang le.

272 让 我们 一起 照 张
Ràng wǒmen yìqǐ zhào zhāng

Let's have a photo taken together.

相 吧!
xiàng ba!

273 除了 去 实习 的 以外，
Chúle qù shíxí de yǐwài,

Except for those who have gone to do field work, everybody is here.

都 来 了。
dōu lái le.

274 你 用 汉语 唱 个 歌 吧。
Nǐ yòng Hànyǔ chàng ge gē ba.

Please sing us a Chinese song.

275 我 唱 完 就 该 你们 了。
Wǒ chàng wán jiù gāi nǐmen le.

It will be your turn after I finish singing.

276 真 不知道 说 什么 好。
Zhēn bù zhīdào shuō shénme hǎo.

I really don't know what to say.

Huìhuà
会话 Conversations

1.....

和子： 回国 的 日子 越 来 越 近 了。
Hézǐ： Huí guó de rìzi yuè lái yuè jìn le.

王兰： 真 舍不得 你们 走。
Wáng Lán： Zhēn shěbude nǐmen zǒu.

大卫： 是 啊， 虽然 时间 不 长， 但是 我们 的 友谊
Dàwèi： Shì a, suīrán shíjiān bù cháng, dànshì wǒmen de yǒuyì

很 深。
hěn shēn.

玛丽： 我们 把 通讯 地址 都 留 在 本子 上 了，
Mǎlì： Wǒmen bǎ tōngxùn dìzhǐ dōu liú zài běnzi shang le,

以后 常 联系。
yǐhòu cháng liánxì.

刘京： 我 想 你们 还是 有 机会 来 的。
Liú Jīng： Wǒ xiǎng nǐmen háishi yǒu jīhuì lái de.

和子： 要是 来 北京，一定 来 看 你们。
Hézǐ： Yàoshi lái Běijīng, yídìng lái kàn nǐmen.

大卫： 让 我们 一起 照 张 相 吧!
Dàwèi： Ràng wǒmen yìqǐ zhào zhāng xiàng ba!

玛丽： 好，多 照 几 张，留 作 纪念。
Mǎlì： Hǎo, duō zhào jǐ zhāng, liú zuò jìniàn.

2......

玛丽： 参加 欢送会 的 人 真 多。
Mǎlì： Cānjiā huānsònghuì de rén zhēn duō.

刘京： 除了 去 实习 的 以外，都 来 了。
Liú Jīng： Chúle qù shíxí de yǐwài, dōu lái le.

和子：
Hézǐ：
开始 演 节目 了。
Kāishǐ yǎn jiémù le.

大卫：
Dàwèi：
玛丽，你 用 汉语 唱 个 歌 吧。
Mǎlì, nǐ yòng Hànyǔ chàng ge gē ba.

玛丽：
Mǎlì：
我 唱 完 就 该 你们 了。
Wǒ chàng wán jiù gāi nǐmen le.

王兰：
Wáng Lán：
各 班 的 节目 很 多，很 精彩。
Gè bān de jiémù hěn duō, hěn jīngcǎi.

和子：
Hézǐ：
同学 和 老师 这么 热情 地 欢送 我们，
Tóngxué hé lǎoshī zhème rèqíng de huānsòng wǒmen,

真 不 知道 说 什么 好。
zhēn bù zhīdào shuō shénme hǎo.

刘京：
Liú Jīng：
祝贺 你们 取得了 好 成绩。
Zhùhè nǐmen qǔdéle hǎo chéngjì.

王兰：
Wáng Lán：
祝 你们 更 快 地 提高 中文 水平。
Zhù nǐmen gèng kuài de tígāo Zhōngwén shuǐpíng.

3

Tìhuàn yǔ Kuòzhǎn
替换与扩展 Substitution and Extension

▶ **替换 Tìhuàn**

1. 回国的日子越来越近了。
Huí guó de rìzi yuè lái yuè jìn le.

他的发音	好
tā de fāyīn	hǎo
旅游的人	多
lǚyóu de rén	duō
他的技术水平	高
tā de jìshù shuǐpíng	gāo
北京的天气	暖和
Běijīng de tiānqì	nuǎnhuo

2. 虽然时间不长，但是
Suīrán shíjiān bù cháng, dànshì
我们的友谊很深。
wǒmen de yǒuyì hěn shēn.

年纪很大	身体很好
niánjì hěn dà	shēntǐ hěn hǎo
路比较远	交通比较方便
lù bǐjiào yuǎn	jiāotōng bǐjiào fāngbiàn
学习的时间很短	提高得很快
xuéxí de shíjiān hěn duǎn	tígāo de hěn kuài

3. 我们把通讯地址都留
Wǒmen bǎ tōngxùn dìzhǐ dōu liú
在本子上了。
zài běnzi shang le.

字	写	黑板上
zì	xiě	hēibǎn shang
自行车	放	礼堂右边
zìxíngchē	fàng	lǐtáng yòubian
地图	挂	墙上
dìtú	guà	qiáng shang
通知	贴	黑板左边
tōngzhī	tiē	hēibǎn zuǒbian

▶ **扩展 Kuòzhǎn**

1. 他 除了 英语 以外，别的 语言 都 不 会。
Tā chúle Yīngyǔ yǐwài, biéde yǔyán dōu bú huì.

2. 这 次 篮球赛 非常 精彩，你 没 去 看，真 可惜。
Zhè cì lánqiú sài fēicháng jīngcǎi, nǐ méi qù kàn, zhēn kěxī.

4

生词 New Words

1	越来越…		yuè lái yuè…	more and more
2	虽然…		suīrán…	though
	但是…		dànshì…	
3	深	Adj.	shēn	deep, profound
4	通讯	N.	tōngxùn	communication
5	地址	N.	dìzhǐ	address
6	实习	V.	shíxí	to do field practice, to practise
7	该	M.V.	gāi	should, must
8	舍不得	V.	shěbude	to hate to part with...
9	留	V.	liú	to stay
10	欢送会	N.	huānsònghuì	farewell party
11	节目	N.	jiémù	program
12	精彩	Adj.	jīngcǎi	excellent, brilliant
13	热情	Adj.	rèqíng	enthusiastic, warm
14	欢送	V.	huānsòng	to send off, to see off
15	取得	V.	qǔdé	to achieve
16	旅游	V.	lǚyóu	to travel
17	水平	N.	shuǐpíng	level
18	年纪	N.	niánjì	age
19	黑板	N.	hēibǎn	blackboard
20	右边	N.	yòubian	the right side

21	墙	N.	qiáng	wall
22	贴	V.	tiē	to stick, to paste, to put up
23	左边	N.	zuǒbian	the left side

5 Yǔfǎ 语法 Grammar

1. "虽然……但是……" 复句 "Suīrán…dànshì…" fùjù
The compound sentence with "虽然…但是…"

关联词"虽然"和"但是（可是）"可以构成表示转折关系的复句。"虽然"放在第一分句的主语前或主语后，"但是"（或"可是"）放在第二分句句首。例如：

Guānlián cí "suīrán" hé "dànshì (kěshì)" kěyǐ gòuchéng biǎoshì zhuǎnzhé guānxì de fùjù. "Suīrán" fàng zài dì-yī fēnjù de zhǔyǔ qián huò zhǔyǔ hòu, "dànshì" (huò "kěshì") fàng zài dì-èr fēnjù jù shǒu. Lìrú:

The conjunctions "虽然 suīrán" and "但是 dànshì" (or "可是 kěshì") may be used to form a compound sentence denoting a transitional relationship. "虽然" is put before or after the subject in the first clause, while "但是" (or "可是") is placed at the beginning of the second clause, e.g.

(1) 虽然下雪，但是天气不太冷。
  Suīrán xià xuě, dànshì tiānqì bú tài lěng.

(2) 今天我虽然很累，但是玩儿得很高兴。
  Jīntiān wǒ suīrán hěn lèi, dànshì wánr de hěn gāoxìng.

(3) 虽然他没来过北京，可是对北京的情况知道得很多。
  Suīrán tā méi láiguo Běijīng, kěshì duì Běijīng de qíngkuàng zhīdào de hěn duō.

2. "把"字句 "Bǎ" zì jù (2) The "把" sentence (2)

❶ 如果要说明受处置的事物或人通过动作处于某处时，必须用"把"字句。例如：

Rúguǒ yào shuōmíng shòu chǔzhì de shìwù huò rén tōngguò dòngzuò chǔyú mǒu chù shí, bìxū yòng "bǎ" zì jù. Lìrú:

The "把 bǎ" sentence is used if one wants to show that a thing or a person which is disposed through the action denoted by the verb has reached a certain place, e.g.

（1）我们把通讯地址留在本子上了。
　　Wǒmen bǎ tōngxùn dìzhǐ liú zài běnzi shang le.

（2）我把啤酒放进冰箱里了。
　　Wǒ bǎ píjiǔ fàng jìn bīngxiāng li le.

（3）他把汽车开到学校门口了。
　　Tā bǎ qìchē kāi dào xuéxiào ménkǒu le.

② 说明受处置的事物通过动作交给某一对象时，在一定条件下也要用"把"字句。例如：

Shuōmíng shòu chǔzhì de shìwù tōngguò dòngzuò jiāo gěi mǒu yí duìxiàng shí, zài yídìng tiáojiàn xià yě yào yòng "bǎ" zì jù. Lìrú:

In some circumstances, the "把" sentence should also be used if one wants to show that something is given to someone, e.g.

（4）我把钱交给那个售货员了。
　　Wǒ bǎ qián jiāo gěi nàge shòuhuòyuán le.

（5）把这些饺子留给大卫吃。
　　Bǎ zhèxiē jiǎozi liú gěi Dàwèi chī.

6 Liànxí 练习 Exercises

1 选词填空 Xuǎn cí tiánkòng　Fill in the blanks with the words given.

舍不得	精彩	该	机会	留	热情
shěbude	jīngcǎi	gāi	jīhuì	liú	rèqíng

（1）昨天的游泳比赛很_____，运动员的水平很高。

　　Zuótiān de yóu yǒng bǐsài hěn_____, yùndòngyuán de shuǐpíng hěn gāo.

（2）离上课的时间不多了，我们_____进教室去了。

　　Lí shàng kè de shíjiān bù duō le, wǒmen_____jìn jiàoshì qu le.

（3）来中国学习是很好的_____，我一定好好学习。

　　Lái Zhōngguó xuéxí shì hěn hǎo de_____, wǒ yídìng hǎohāo xuéxí.

（4）我的通讯地址给你＿＿＿＿了吧？

Wǒ de tōngxùn dìzhǐ gěi nǐ＿＿＿＿le ba?

（5）那个饭店的服务员很＿＿＿＿。

Nàge fàndiàn de fúwùyuán hěn＿＿＿＿.

（6）这块蛋糕她＿＿＿＿吃，因为妹妹喜欢吃，她要留给妹妹。

Zhè kuài dàngāo tā＿＿＿＿chī, yīnwèi mèimei xǐhuan chī, tā yào liú gěi mèimei.

❷ 仿照例子，用"越来越……"改写句子

Fǎngzhào lìzi, yòng "yuè lái yuè…" gǎixiě jùzi

Rewrite the following sentences with "越来越…" following the model.

> 例：刚才雪很大，现在更大。→ 雪越来越大了。
>
> Gāngcái xuě hěn dà, xiànzài gèng dà. → Xuě yuè lái yuè dà le.
>
> 或： 雪下得越来越大了。
>
> Huò: Xuě xià de yuè lái yuè dà le.

（1）冬天快过去了，天气慢慢地暖和了。

Dōngtiān kuài guòqu le, tiānqì mànmān de nuǎnhuo le.

（2）他的汉语比刚来的时候好了。

Tā de Hànyǔ bǐ gāng lái de shíhou hǎo le.

（3）张老师的小女儿一年比一年漂亮了。

Zhāng lǎoshī de xiǎo nǚ'ér yì nián bǐ yì nián piàoliang le.

（4）参加欢送会的人比刚开始的时候多了。

Cānjiā huānsònghuì de rén bǐ gāng kāishǐ de shíhou duō le.

（5）大家讨论以后，这个问题比以前清楚了。

Dàjiā tǎolùn yǐhòu, zhège wèntí bǐ yǐqián qīngchu le.

❸ 用所给词语造"把"字句 Yòng suǒ gěi cíyǔ zào "bǎ" zì jù

Make sentences with "把" using the words given.

> 例： 汽车　停　九楼前边 → 他把汽车停在九楼前边了。
>
> qìchē　tíng　jiǔ lóu qiánbian → Tā bǎ qìchē tíng zài jiǔ lóu qiánbian le.

（1）名字　　写　　本子上

míngzi　xiě　běnzi shang

（2）词典　　放　　桌子上
　　　cídiǎn　　fàng　　zhuōzi shang

（3）钱包　　忘　　家里
　　　qiánbāo　　wàng　　jiā li

（4）衬衫　　挂　　衣柜里
　　　chènshān guà　　yīguì li

④ 完成对话 Wánchéng duìhuà　Complete the following conversation.

　A：小张，你这次去法国留学，祝你顺利！

　B：祝你学习＿＿＿＿＿＿＿！

　张：谢谢你们，为＿＿＿＿＿干杯！

　A：＿＿＿＿＿＿＿＿＿＿。

　张：我一到那儿就给你们打电话。

　B：＿＿＿＿＿＿＿＿＿＿。

　张：我一定注意身体。谢谢！

　　A：Xiǎo Zhāng, nǐ zhè cì qù Fǎguó liúxué, zhù nǐ shùnlì!

　　B：Zhù nǐ xuéxí＿＿＿＿＿＿！

Zhāng：Xièxie nǐmen, wèi＿＿＿＿＿gān bēi!

　　A：＿＿＿＿＿＿＿＿＿＿.

Zhāng：Wǒ yí dào nàr jiù gěi nǐmen dǎ diànhuà.

　　B：＿＿＿＿＿＿＿＿＿＿.

Zhāng：Wǒ yídìng zhùyì shēntǐ. Xièxie!

⑤ 说话 Shuō huà　Talk about the following topic.

说说开茶话会欢送朋友回国的情况。

Shuōshuo kāi cháhuàhuì huānsòng péngyou huí guó de qíngkuàng.

提示：一边喝茶一边谈话，你对朋友说些什么，朋友说些什么。

Tíshì：Yìbiān hē chá yìbiān tán huà, nǐ duì péngyou shuō xiē shénme, péngyou shuō xiē shénme.

Say something about a send-off tea party held for your friend going back to his country.

Suggested points: You had a chat over a cup of tea. What did you say to your friend? What did he say to you in return?

6 听述 Tīng shù   Listen and retell.

　　我在这儿学了三个月汉语，下星期一要回国了。虽然我在中国的时间不长，可是认识了不少中国朋友和别的国家的朋友。我们的友谊越来越深。我真舍不得离开他们。要是以后有机会，我一定再来中国。

　　Wǒ zài zhèr xué le sān ge yuè Hànyǔ, xià xīngqīyī yào huí guó le. Suīrán wǒ zài Zhōngguó de shíjiān bù cháng, kěshì rènshile bù shǎo Zhōngguó péngyou hé biéde guójiā de péngyou. Wǒmen de yǒuyì yuè lái yuè shēn. Wǒ zhēn shěbude lí kāi tāmen. Yàoshi yǐhòu yǒu jīhuì, wǒ yídìng zài lái Zhōngguó.

7 语音练习 Yǔyīn liànxí   Phonetic drills

(1) 常用音节练习 Chángyòng yīnjié liànxí   Drill on the frequently used syllables

yuan	yuánlái	原来	yan	chōu yān	抽烟
	yǒngyuǎn	永远		yánjiū	研究
	yuànyì	愿意		yǎnjìng	眼镜

(2) 朗读会话 Lǎngdú huìhuà   Read aloud the conversation.

A：Míngtiān wǒmen gěi Lǐ Hóng kāi ge huānsònghuì ba.

B：Duì, tā chū guó shíjiān bǐjiào cháng.

C：Děi zhǔnbèi yìxiē shuǐguǒ hé lěngyǐn.

A：Bié wàngle zhào xiàng.

B：Yě bié wàngle liú tā de tōngxùn dìzhǐ.

真舍不得你们走　**217**

Zhèr tuōyùn xíngli ma?
这儿托运行李吗？
IS THIS WHERE WE CHECK IN OUR LUGGAGE?

Jùzi
句子 Sentences

277 我 打听 一下儿，这儿 托运
Wǒ dǎting yíxiàr, zhèr tuōyùn

Can you tell me if we can consign
our luggage here?

行李 吗？
xíngli ma?

278 邮局 寄 不但 太 贵，
Yóujú jì búdàn tài guì,

It is not only too expensive to send
it by post, but also not possible to
send such a big piece of luggage.

而且 这么 大 的 行李
érqiě zhème dà de xíngli

也 不 能 寄。
yě bù néng jì.

279 我 记 不 清楚 了。
Wǒ jì bu qīngchu le.

I can't remember it clearly.

280 我 想 起来 了。①
Wǒ xiǎng qilai le.

Now I remember.

281 运 费 怎么 算？
Yùn fèi zěnme suàn?

What is the freight rate?

282 按照 这个 价目表 收 费。
Ànzhào zhège jiàmùbiǎo shōu fèi.

You should pay according to this price list.

283 你 可以 把 东西 运来。
Nǐ kěyǐ bǎ dōngxi yùn lai.

You may bring your luggage here.

284 我 的 行李 很 大，一 个 人
Wǒ de xíngli hěn dà, yí ge rén

My luggage is so big that I can't carry it myself.

搬 不 动。
bān bu dòng.

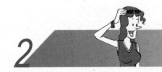

2 会话 Huìhuà Conversations

1......

刘京： 你 这么 多 行李，坐 飞机 的话，一定 超 重。
Liú Jīng : Nǐ zhème duō xíngli, zuò fēijī dehuà, yídìng chāo zhòng.

和子： 那 怎么 办?
Hézǐ : Nà zěnme bàn?

王兰： 邮局 寄 不但 太 贵，而且 这么 大 的 行李 也
Wáng Lán : Yóujú jì búdàn tài guì, érqiě zhème dà de xíngli yě

不　能　寄。
bù　néng　jì.

刘京：　可以　海运。
Liú Jīng：　Kěyǐ　hǎiyùn.

和子：　海运　要 多 长　时间？
Hézǐ：　Hǎiyùn　yào duō cháng shíjiān?

刘京：　我 记　不 清楚　了，我们　可以 去 托运　公司
Liú Jīng：　Wǒ jì　bu qīngchu le，　wǒmen kěyǐ　qù tuōyùn gōngsī

问问。
wènwen.

王兰：　啊，我 想　起来 了，去年 李 成日　也 托运过。
Wáng Lán：　À，　wǒ xiǎng　qilai le，　qùnián Lǐ Chéngrì yě tuōyùnguo.

和子：　那　好，明天　我 去 问 一下儿。
Hézǐ：　Nà　hǎo，míngtiān wǒ qù wèn yíxiàr.

2......

和子：　我 打听 一下儿，这儿 托运 行李 吗？
Hézǐ：　Wǒ dǎting yíxiàr，　zhèr　tuōyùn xíngli ma?

服务员：　托运。你 要 运 到 哪儿？
fúwùyuán：　Tuōyùn. Nǐ yào yùn dào nǎr?

和子：　日本。要 多 长　时间？
Hézǐ：　Rìběn. Yào duō cháng shíjiān?

服务员：　大概 一个　多 月。
fúwùyuán：　Dàgài yí ge　duō yuè.

和子：　运　费　怎么　算?
Hézǐ:　Yùn fèi zěnme suàn?

服务员：　按照　这个价目表　收费。你可以把东西运来。
fúwùyuán:　Ànzhào zhège jiàmùbiǎo shōu fèi. Nǐ kěyǐ bǎ dōngxi yùn lai.

和子：　我的行李很大，一个人搬不动。
Hézǐ:　Wǒ de xíngli hěn dà, yí ge rén bān bu dòng.

服务员：　没　关系，为了方便　顾客，我们　也可以去
fúwùyuán:　Méi guānxi, wèile fāngbiàn gùkè, wǒmen yě kěyǐ qù

取。
qǔ.

和子：　那太麻烦　你们了。
Hézǐ:　Nà tài máfan nǐmen le.

Zhùshì
注释：Notes

① "我想起来了。""Wǒ xiǎng qilai le."　Now I remember.

遗忘的事通过回忆而在脑子中浮现出来。

Yíwàng de shì tōngguò huíyì ér zài nǎozi zhōng fúxiàn chulai.

It means "to call something to memory."

3 替换与扩展 Tíhuàn yǔ Kuòzhǎn Substitution and Extension

▶ 替换 Tíhuàn

1. 坐飞机的话，你的
   Zuò fēijī dehuà, nǐ de
   行李一定超重。
   xíngli yídìng chāo zhòng.

上高速公路	你们	要注意安全
shàng gāosù gōnglù	nǐmen	yào zhùyì ānquán
坐软卧	我们	觉得很舒服
zuò ruǎnwò	wǒmen	juéde hěn shūfu
寄包裹	你	要包好
jì bāoguǒ	nǐ	yào bāo hǎo
放假	他们	去旅行
fàng jià	tāmen	qù lǚxíng

2. 我记不清楚了。
   Wǒ jì bu qīngchu le.

做	完	洗	干净
zuò	wán	xǐ	gānjìng
搬	动	去	了
bān	dòng	qù	liǎo

3. 你可以把东西运来。
   Nǐ kěyǐ bǎ dōngxi yùn lai.

王大夫	请来
Wáng dàifu	qǐng lai
这个包	带去
zhège bāo	dài qu
修好的手表	取来
xiū hǎo de shǒubiǎo	qǔ lai

▶ 扩展 Kuòzhǎn

1. 一 个 月 的 水费、电费、房费 不少。
   Yí ge yuè de shuǐfèi、diànfèi、fángfèi bù shǎo.

2. 我 想 起来 了，这个 人 是 成日，以前 我
   Wǒ xiǎng qilai le, zhège rén shì Chéngrì, yǐqián wǒ
   在 国际 交流 中心 见过 他。
   zài Guójì Jiāoliú Zhōngxīn jiànguo tā.

3.我 打听 一下儿，星期六 大使馆 办 公 不
　　Wǒ dǎting yíxiàr, xīngqīliù dàshǐguǎn bàn gōng bu

办 公?
bàn gōng?

Shēngcí
生词 New Words

1	打听	V.	dǎting	to inquire about
2	托运	V.	tuōyùn	to consign for transportation
3	不但…		búdàn…	not only…
	而且…		érqiě…	but also…
4	算	V.	suàn	to calculate
5	按照	Prep.	ànzhào	by, according to
6	价目表	N.	jiàmùbiǎo	price list
7	运	V.	yùn	transport
8	搬	V.	bān	to remove, to move, to carry
9	动	V.	dòng	to move
10	的话	Part.	dehuà	(modal particle)
11	超重		chāo zhòng	overweight
12	海运	V.	hǎiyùn	sea transportation
13	为了	Prep.	wèile	for, in order to
14	顾客	N.	gùkè	customer, shopper, patron
15	取	V.	qǔ	to get, to claim
16	高速公路		gāosù gōnglù	expressway

17	包裹	N.	bāoguǒ	parcel
18	国际	N.	guójì	international
19	交流	V.	jiāoliú	exchange
20	大使馆	N.	dàshǐguǎn	embassy
21	办公		bàn gōng	to handle official business

5 语法 Yǔfǎ Grammar

1. "不但……而且……" 复句 "Búdàn…érqiě…" fùjù

The compound sentence with "不但…而且…"

"不但……而且……" 表示递进关系。如果两个分句的主语相同，"不但"放在第一分句的主语之后；如果两个分句的主语不同，"不但"放在第一分句的主语之前。例如：

"Búdàn…érqiě…" biǎoshì dìjìn guānxì. Rúguǒ liǎng ge fēnjù de zhǔyǔ xiāngtóng, "búdàn" fàng zài dì-yī fēnjù de zhǔyǔ zhīhòu; Rúguǒ liǎng ge fēnjù de zhǔyǔ bùtóng, "búdàn" fàng zài dì-yī fēnjù de zhǔyǔ zhīqián. Lìrú:

"不但 búdàn…而且 érqiě…" indicates a further development in meaning in the second clause from what is stated in the first one. If the two clauses have the same subject, "不但" is put after the subject of the first clause; if they have different subjects, "不但" is put before the subject of the first clause, e.g.

(1) 他不但是我的老师，而且也是我的朋友。
Tā búdàn shì wǒ de lǎoshī, érqiě yě shì wǒ de péngyou.

(2) 这个行李不但大，而且很重。
Zhège xíngli búdàn dà, érqiě hěn zhòng.

(3) 不但他会英语，而且小王和小李也会英语。
Búdàn tā huì Yīngyǔ, érqiě Xiǎo Wáng hé Xiǎo Lǐ yě huì Yīngyǔ.

2．"动"作可能补语 "Dòng"zuò kěnéng bǔyǔ
The verb "动" as a complement of possibility

动词"动"作可能补语，表示有力量做某事。例如：

Dòngcí "dòng" zuò kěnéng bǔyǔ, biǎoshì yǒu lìliàng zuò mǒu shì. Lìrú:

The verb "动 dòng" used as a complement of possibility denotes that one is capable of doing something, e.g.

（1）这只箱子不重，我拿得动。

　　Zhè zhī xiāngzi bú zhòng, wǒ ná de dòng.

（2）走了很多路，我现在走不动了。

　　Zǒule hěn duō lù, wǒ xiànzài zǒu bu dòng le.

（3）这个行李太重了，一个人搬不动。

　　Zhège xíngli tài zhòng le, yí ge rén bān bu dòng.

3．能愿动词在"把"字句中的位置

　　Néngyuàn dòngcí zài "bǎ" zì jù zhōng de wèizhì

　　The position of a modal verb in the "把" sentence

能愿动词都在介词"把"的前边。例如：

Néngyuàn dòngcí dōu zài jiècí "bǎ" de qiánbian. Lìrú:

As a rule, a modal verb precedes the preposition "把 bǎ," e.g.

（1）我可以把照相机带来。

　　Wǒ kěyǐ bǎ zhàoxiàngjī dài lai.

（2）晚上有大风，应该把窗户关好。

　　Wǎnshang yǒu dàfēng, yīnggāi bǎ chuānghu guān hǎo.

6　Liànxí 练习 Exercises

1 用动词加可能补语填空 Yòng dòngcí jiā kěnéng bǔyǔ tiánkòng

Fill in the blanks with the appropriate verbs and their complements of possibility.

（1）天太黑，我_____黑板上的字。

　　Tiān tài hēi, wǒ_____hēibǎn shang de zì.

（2）这张桌子很重，我一个人_____。

Zhè zhāng zhuōzi hěn zhòng, wǒ yí ge rén_____.

（3）我的中文水平不高，还_____中文报。

Wǒ de Zhōngwén shuǐpíng bù gāo, hái_____Zhōngwén bào.

（4）从这儿海运到东京，一个月_____吗？

Cóng zhèr hǎiyùn dào Dōngjīng, yí ge yuè_____ma?

（5）这本小说，你一个星期_____吗？

Zhè běn xiǎoshuō, nǐ yí ge xīngqī_____ma?

（6）我们只见过一面，他的名字我_____。

Wǒmen zhǐ jiànguo yí miàn, tā de míngzi wǒ_____.

2 用"不但……而且……"完成句子 Yòng "búdàn…érqiě…"wánchéng jùzi
Complete the sentences with "不但…而且…."

（1）那儿不但名胜古迹很多，_____。

Nàr búdàn míngshèng gǔjì hěn duō, _____.

（2）抽烟_____，而且对别人的身体也不好。

Chōu yān_____, érqiě duì biéren de shēntǐ yě bù hǎo.

（3）他不但会说汉语，_____。

Tā búdàn huì shuō Hànyǔ, _____.

（4）昨天在欢送会上不但_____，而且别的
班的同学也都演了节目。

Zuótiān zài huānsònghuì shang búdàn_____, érqiě
biéde bān de tóngxué yě dōu yǎnle jiémù.

3 用"为了"完成句子 Yòng "wèile" wánchéng jùzi
Complete the sentences with "为了."

（1）_____，我要去旅行。

_____, wǒ yào qù lǚxíng.

（2）_____，我们要多听多说。

_____, wǒmen yào duō tīng duō shuō.

(3) _____，你别骑快车了。

_____，nǐ bié qí kuài chē le.

(4) _____，我买了一张画儿。

_____，wǒ mǎile yì zhāng huàr.

4 完成对话 Wánchéng duìhuà Complete the following conversation.

A: _____？

B: 我去托运行李。

A: _____？

B: 运到上海。

A: _____？

B: 七八天。

A: 运费贵吗？

B: _____。

A: 你拿得动吗？要不要我帮忙？

B: _____。

A: _____？

B: Wǒ qù tuōyùn xíngli.

A: _____？

B: Yùn dào Shànghǎi.

A: _____？

B: Qī bā tiān.

A: Yùn fèi guì ma?

B: _____.

A: Nǐ ná de dòng ma? Yào bu yào wǒ bāng máng?

B: _____.

5 **会话** Huìhuà　　Conversational drills

去邮局寄包裹，与营业员对话。

Qù yóujú jì bāoguǒ, yǔ yíngyèyuán duìhuà.

提示：东西是不是超重；邮费是多少；多长时间能到。

Tíshì: Dōngxi shì bu shì chāo zhòng；yóufèi shì duōshao；duō cháng shíjiān néng dào.

You go to a post office to mail a parcel and have a conversation with a post office employee.

Suggested points: You ask if your parcel is overweight, how much the postage is and how long

it would take to get there.

6 **听述** Tīng shù　　Listen and retell.

　　小刘要去韩国，他不知道可以托运多少行李。小张去过法国，去法国和去韩国一样，可以托运二十公斤(gōngjīn，kilogram)，还可以带一个五公斤的小包。小刘东西比较多，从邮局寄太贵。小张让他海运，海运可以寄很多，而且比较便宜。小刘觉得这是个好主意(zhǔyi，idea)。

　　Xiǎo Liú yào qù Hánguó, tā bù zhīdào kěyǐ tuōyùn duōshao xíngli. Xiǎo Zhāng qùguo Fǎguó, qù Fǎguó hé qù Hánguó yíyàng, kěyǐ tuōyùn èrshí gōngjīn, hái kěyǐ dài yí ge wǔ gōngjīn de xiǎo bāo. Xiǎo Liú dōngxi bǐjiào duō, cóng yóujú jì tài guì. Xiǎo Zhāng ràng tā hǎiyùn, hǎiyùn kěyǐ jì hěn duō, érqiě bǐjiào piányi. Xiǎo Liú juéde zhè shì ge hǎo zhǔyi.

7 **语音练习** Yǔyīn liànxí　　Phonetic drills

（1）常用音节练习Chángyòng yīnjié liànxí　Drill on the frequently used syllables

yuan	huāyuán	花园	me	shénme	什么
	hěn yuǎn	很远		zěnmeyàng	怎么样
	yuànyì	愿意		zhème	这么

（2）朗读会话 Lǎngdú huìhuà Read aloud the conversation.

A：Xiǎojie，wǒ yào jì shū，hǎiyùn.

B：Wǒ kànkan. À，chāo zhòng le.

A：Yì bāo kěyǐ jì duōshao？

B：Wǔ gōngjīn.

A：Wǒ ná chū jǐ běn lai ba.

B：Hǎo.

Bù néng sòng nǐ qù jīchǎng le

不能送你去机场了

I CAN'T GO TO THE AIRPORT TO SEE YOU OFF

Jùzi
句子 Sentences

285　你 准备 得 怎么样 了？
Nǐ zhǔnbèi de zěnmeyàng le?

Are you ready?

286　你 还 有 什么 没办 的 事，
Nǐ hái yǒu shénme méi bàn de shì,

If you have anything to attend to,
I can take care of it.

　　我 可以 替 你 办。
wǒ kěyǐ tì nǐ bàn.

287　我 冲洗了 一些 照片，
Wǒ chōngxǐle yìxiē zhàopiàn,

I have got some photos developed,
but I have no time to fetch them.

　　来不及 去 取 了。
láibují qù qǔ le.

288　我 正 等着 你 呢!
Wǒ zhèng děngzhe nǐ ne!

I am waiting for you.

289　你 的 东西 收拾 好 了 吗?
Nǐ de dōngxi shōushi hǎo le ma?

Have you got your luggage
packed?

290　出 门 跟 在 家 不 一 样，[1]
　　　Chū mén gēn zài jiā bù yíyàng,

　　　麻烦 事 就 是 多。
　　　máfan shì jiù shì duō.

Going on a trip is not like staying at home, and you'll certainly have more problems to solve.

291　四 个 小 包 不如 两 个 大 包
　　　Sì ge xiǎo bāo bùrú liǎng ge dà bāo

　　　好。
　　　hǎo.

Four small parcels are not as convenient as two big ones.

292　又 给 你 添 麻烦 了。
　　　Yòu gěi nǐ tiān máfan le.

I am sorry to trouble you again.

Huìhuà
会话 Conversations

王兰：　准备 得 怎么样 了？
Wáng Lán：　Zhǔnbèi de zěnmeyàng le?

玛丽：　我 正 收拾 东西 呢。你 看，多 乱 啊！
Mǎlì：　Wǒ zhèng shōushi dōngxi ne. Nǐ kàn, duō luàn a!

王兰：　路上 要 用 的 东西 放 在 手提包 里，这样
Wáng Lán：　Lù shang yào yòng de dōngxi fàng zài shǒutíbāo li, zhèyàng

　　　用 起来 方便。[2]
　　　yòng qilai fāngbiàn.

玛丽： 对。我 随身 带 的 东西 不 太 多，两 个 箱子
Mǎlì: Duì. Wǒ suíshēn dài de dōngxi bú tài duō, liǎng ge xiāngzi

都 已经 托运 了。
dōu yǐjīng tuōyùn le.

王兰： 真 抱歉， 我 不 能 送 你 去 机场 了。
Wáng Lán: Zhēn bàoqiàn, wǒ bù néng sòng nǐ qù jīchǎng le.

玛丽： 没 关系。你 忙 吧。
Mǎlì: Méi guānxi. Nǐ máng ba.

王兰： 你 还 有 什么 没办 的 事，我 可以 替 你 办。
Wáng Lán: Nǐ hái yǒu shénme méi bàn de shì, wǒ kěyǐ tì nǐ bàn.

玛丽： 我 冲洗 了 一些 照片， 来不及 去 取 了。
Mǎlì: Wǒ chōngxǐle yìxiē zhàopiàn, láibují qù qǔ le.

王兰： 星期六 或者 星期天 我 替 你 去 取，然后 寄
Wáng Lán: Xīngqīliù huòzhě xīngqītiān wǒ tì nǐ qù qǔ, ránhòu jì

给 你。
gěi nǐ.

2......

大卫: 你 来 了，我 正 等着 你 呢!
Dàwèi: Nǐ lái le, wǒ zhèng děngzhe nǐ ne!

刘京: 你 的 东西 收拾 好 了 吗?
Liú Jīng: Nǐ de dōngxi shōushi hǎo le ma?

大卫: 马马虎虎。这 次 又 坐 火车 又 坐 飞机，特别
Dàwèi: Mǎmǎ hūhū. Zhè cì yòu zuò huǒchē yòu zuò fēijī, tèbié

麻烦。
máfan.

刘京: 是 啊，出 门 跟 在 家 不 一样，麻烦 事 就
Liú Jīng: Shì a, chū mén gēn zài jiā bù yíyàng, máfan shì jiù

是 多。这 几 个 包 都 是 要 带 走 的 吗?
shì duō. Zhè jǐ ge bāo dōu shì yào dài zǒu de ma?

大卫: 是 的。都 很 轻。
Dàwèi: Shì de. Dōu hěn qīng.

刘京: 四 个 小 包 不如
Liú Jīng: Sì ge xiǎo bāo bùrú

两 个 大 包 好。
liǎng ge dà bāo hǎo.

大卫: 好 主意!
Dàwèi: Hǎo zhǔyi!

刘京: 我 帮 你 重新 弄弄 吧。
Liú Jīng: Wǒ bāng nǐ chóngxīn nòngnong ba.

大卫：　又　给　你　添　麻烦　了。
Dàwèi：　Yòu gěi nǐ　tiān máfan le.

刘京：　哪儿　的　话。
Liú Jīng：　Nǎr　　de　huà.

大卫：　另外，　要是　有　我　的　信，　请　你　转　给　我。
Dàwèi：　Lìngwài, yàoshi yǒu wǒ de xìn, qǐng nǐ zhuǎn gěi wǒ.

刘京：　没　问题。
Liú Jīng：　Méi　wèntí.

Zhùshì
注释：Notes

① "出门跟在家不一样。"　"Chū mén gēn zài jiā bù yíyàng."

这里的"出门"是指离家远行。
Zhèlǐ de "chū mén" shì zhǐ lí jiā yuǎn xíng.
"出门 chū mén" here means going on a journey far away from home.

② "这样用起来方便。"　"Zhèyàng yòng qilai fāngbiàn."

"用起来"的意思是"用的时候"。
"Yòng qilai" de yìsi shì "yòng de shíhou".
"用起来" means "when using it."

3

Tìhuàn yǔ Kuòzhǎn
替换与扩展 Substitution and Extension

替换 Tìhuàn

1. 星期六或者星期天**我**
Xīngqīliù huòzhě xīngqītiān wǒ

替你去**取照片**。
tì nǐ qù qǔ zhàopiàn.

哥哥	我	报名
gēge	wǒ	bào míng
我	妈妈	接人
wǒ	māma	jiē rén
我	朋友	交电费
wǒ	péngyou	jiāo diànfèi

2. **四个小包**不如**两个**
Sì ge xiǎo bāo bùrú liǎng ge

大包好。
dà bāo hǎo.

这种鞋	那种鞋	结实
zhè zhǒng xié	nà zhǒng xié	jiéshi
这条街	那条街	安静
zhè tiáo jiē	nà tiáo jiē	ānjìng
这种茶	那种茶	好喝
zhè zhǒng chá	nà zhǒng chá	hǎohē

3. 你还有什么**没办的事**，
Nǐ hái yǒu shénme méi bàn de shì,

我可以**替你办**。
wǒ kěyǐ tì nǐ bàn.

不了解的情况	给你介绍
bù liǎojiě de qíngkuàng	gěi nǐ jièshào
不懂的词	帮你翻译
bù dǒng de cí	bāng nǐ fānyì
没买的东西	帮你买
méi mǎi de dōngxi	bāng nǐ mǎi

扩展 Kuòzhǎn

1. 我 走进 病房 看 他 的 时候， 他 正 安静
Wǒ zǒu jìn bìngfáng kàn tā de shíhou, tā zhèng ānjìng

地 躺着 呢。
de tǎngzhe ne.

2. 离 开 车 还 有 十 分钟， 我 来不及 回去 拿
Lí kāi chē hái yǒu shí fēnzhōng, wǒ láibují huíqu ná

手机 了，麻烦 你 替我 关 一下儿。
shǒujī le, máfan nǐ tì wǒ guān yíxiàr.

4

Shēngcí
生词 New Words

1	替	Prep., V.	tì	for; to do sth. for sb.
2	冲洗	V.	chōngxǐ	to develop
3	不如	V.	bùrú	not as good as, can't compare with
4	添	V.	tiān	to add
5	乱	Adj.	luàn	disorder, chaotic
6	手提包	N.	shǒutíbāo	handbag
7	随身	Adv.	suíshēn	(to carry) on oneself
8	或者	Conj.	huòzhě	or
9	特别	Adv., Adj.	tèbié	especially; special
10	轻	Adj.	qīng	light
11	主意	N.	zhǔyi	idea
12	重新	Adv.	chóngxīn	again
13	另外	Conj., Adv.	lìngwài	moveover, besides; additional
14	转	V.	zhuǎn	to pass to
15	报名		bào míng	to register
16	鞋	N.	xié	shoes
17	结实	Adj.	jiēshi	solid, durable
18	街	N.	jiē	street
19	安静	Adj.	ānjìng	quiet
20	了解	V.	liǎojiě	to know, to understand
21	病房	N.	bìngfáng	ward of a hospital

5

Yǔfǎ
语法 Grammar

1. 动作的持续与进行 Dòngzuò de chíxù yǔ jìnxíng
The continuation and progression of an action

动作的持续一般也就意味着动作正在进行，所以"着"常和"正在"、"正"、"在"、"呢"等词连用。例如：

Dòngzuò de chíxù yìbān yě jiù yìwèizhe dòngzuò zhèngzài jìnxíng, suǒyǐ "zhe" cháng hé "zhèngzài"、"zhèng"、"zài"、"ne" děng cí liányòng. Lìrú:

The continuation of an action normally means that the action is going on right now. Therefore, "着 zhe" is usually used together with such words as "正在 zhèngzài," "正 zhèng," "在 zài," "呢 ne," e.g.

（1）我正等着你呢。
　　Wǒ zhèng děngzhe nǐ ne.

（2）外边下着雨呢。
　　Wàibian xià zhe yǔ ne.

（3）我去的时候，他正躺着看杂志呢。
　　Wǒ qù de shíhou, tā zhèng tǎngzhe kàn zázhì ne.

2. 用"不如"表示比较 Yòng "bùrú" biǎoshì bǐjiào
The use of "不如" for comparison

"A不如B"的意思，即"A没有B好"。例如：

"A bùrú B" de yìsi, jí "A méiyǒu B hǎo". Lìrú:

"A 不如 bùrú B" means "A is not as good as B," e.g.

（1）我的汉语水平不如他高。
　　Wǒ de Hànyǔ shuǐpíng bùrú tā gāo.

（2）这个房间不如那个房间干净。
　　Zhège fángjiān bùrú nàge fángjiān gānjìng.

6

1 用"还是"或"或者"填空 Yòng "háishi" huò "huòzhě" tiánkòng
Fill in the blanks with "还是" or "或者."

（1）你这星期走＿＿＿＿下星期走？
Nǐ zhè xīngqī zǒu＿＿＿＿xià xīngqī zǒu?

（2）你坐飞机去＿＿＿＿坐火车去？
Nǐ zuò fēijī qù＿＿＿＿zuò huǒchē qù?

（3）今天＿＿＿＿明天，我去看你。
Jīntiān＿＿＿＿míngtiān, wǒ qù kàn nǐ.

（4）这次旅行，我们先去上海＿＿＿＿先去桂林？
Zhè cì lǚxíng, wǒmen xiān qù Shànghǎi＿＿＿＿xiān qù Guìlín?

（5）我们走着去＿＿＿骑自行车去，别坐公共汽车，公共汽车人太多。
Wǒmen zǒuzhe qù＿＿＿＿qí zìxíngchē qù, bié zuò gōnggòng qìchē,
gōnggòng qìchē rén tài duō.

（6）现在我们收拾行李，＿＿＿＿去和同学们告别？
Xiànzài wǒmen shōushi xíngli, ＿＿＿＿qù hé tóngxuémen gào bié?

2 用"不如"改写下面的句子 Yòng "bùrú" gǎixiě xiàmian de jùzi
Rewrite the following sentences with "不如."

（1）他的手提包比我的漂亮。
Tā de shǒutíbāo bǐ wǒ de piàoliang.

（2）北京的春天冷，我们那儿的春天暖和。
Běijīng de chūntiān lěng, wǒmen nàr de chūntiān nuǎnhuo.

（3）那个公园的人太多，这个公园安静。
Nàge gōngyuán de rén tài duō, zhège gōngyuán ānjìng.

（4）你的主意好，小王的主意不太好。
Nǐ de zhǔyi hǎo, Xiǎo Wáng de zhǔyi bú tài hǎo.

3 用"替"完成句子 Yòng "tì" wánchéng jùzi　Complete the sentences with "替."

（1）今天有我一个包裹，可是现在我有事，你去邮局的话，请＿＿＿＿＿＿

＿＿＿＿＿＿＿＿，好吗？

Jīntiān yǒu wǒ yí ge bāoguǒ, kěshì xiànzài wǒ yǒu shì, nǐ qù yóujú dehuà,

qǐng＿＿＿＿＿＿＿＿＿＿, hǎo ma?

（2）我也喜欢这种糖，你去买东西的时候，＿＿＿＿＿＿＿。

Wǒ yě xǐhuan zhè zhǒng táng, nǐ qù mǎi dōngxi de shíhou,＿＿＿＿＿＿.

（3）现在我出去一下儿，要是有电话来，＿＿＿＿＿＿＿。

Xiànzài wǒ chūqu yíxiàr, yàoshi yǒu diànhuà lái,＿＿＿＿＿＿＿.

（4）我头疼，不去上课了，你看见老师的时候，＿＿＿＿＿＿＿。

Wǒ tóu téng, bú qù shàng kè le, nǐ kàn jiàn lǎoshī de shíhou,＿＿＿＿＿＿.

4 完成对话 Wánchéng duìhuà　Complete the following conversation.

A：小刘，你去广州出差，＿＿＿＿＿＿＿？

刘：是的。＿＿＿＿＿＿＿？

B：没事。广州比这儿热得多，你要＿＿＿＿＿＿＿！

刘：谢谢！＿＿＿＿＿＿＿，给你们带一些水果。

A：不用了，这儿＿＿＿＿＿＿＿。

刘：不一样，这儿的＿＿＿＿＿＿＿新鲜(xīnxiān，fresh)。

B：那先谢谢你了！

A: Xiǎo Liú, nǐ qù Guǎngzhōu chū chāi,＿＿＿＿＿＿＿?

Liú: Shì de.＿＿＿＿＿＿＿?

B: Méi shì. Guǎngzhōu bǐ zhèr rè de duō, nǐ yào＿＿＿＿＿＿＿!

Liú: Xièxie!＿＿＿＿＿＿＿, gěi nǐmen dài yìxiē shuǐguǒ.

A: Bùyòng le, zhèr＿＿＿＿＿＿＿.

Liú: Bù yíyàng, zhèr de＿＿＿＿＿＿＿xīnxiān.

B: Nà xiān xièxie nǐ le!

⑤ 会话 Huìhuà　　Conversational drills

你的中国朋友要去你们国家留学，你去宿舍看他，两人会话。

Nǐ de Zhōngguó péngyou yào qù nǐmen guójiā liúxué, nǐ qù sùshè kàn tā, liǎng rén huìhuà.

提示：准备的情况怎样，需要什么帮助，介绍那儿的一些情况。

Tíshì: Zhǔnbèi de qíngkuàng zěnyàng, xūyào shénme bāngzhù, jièshào nàr de yìxiē qíngkuàng.

Your Chinese friend is going to study in your country. You call on him in the dormitory and have a conversation with him.

Suggested points: You ask him if he has got everything ready and if he needs any help.
You also tell him something about your country.

⑥ 听述 Tīng shù　　Listen and retell.

尼娜今天要回国，我们去她的宿舍看她。她把行李都收拾好了，正等出租汽车呢。我看见墙上还挂着她的大衣，问她是不是忘了，她说不是，走的时候再穿。问她没用完的人民币换了没有，她说到机场换。这样我们就放心了。出租汽车一到，我们就帮她拿行李，送她上了车。

Nínà jīntiān yào huí guó, wǒmen qù tā de sùshè kàn tā. Tā bǎ xíngli dōu shōushi hǎo le, zhèng děng chūzū qìchē ne. Wǒ kàn jiàn qiáng shang hái guàzhe tā de dàyī, wèn tā shì bu shì wàng le, tā shuō bú shì, zǒu de shíhou zài chuān. Wèn tā méi yòng wán de rénmínbì huànle méiyǒu, tā shuō dào jīchǎng huàn. Zhèyàng wǒmen jiù fàng xīn le. Chūzū qìchē yí dào, wǒmen jiù bāng tā ná xíngli, sòng tā shàngle chē.

7 语音练习 Yǔyīn liànxí Phonetic drills

（1）常用音节练习 Chángyòng yīnjié liànxí Drill on the frequently used syllables

	dōngxi	东西		tōngzhī	通知
dong	dǒng le	懂了	tong	tóngxué	同学
	yùndòng	运动		chuántǒng	传统

（2）朗读会话 Lǎngdú huìhuà Read aloud the conversation.

A：À, nǐmen dōu zài zhèr ne!

B：Wǒmen yě shì gāng lái.

C：Nǐmen dōu lái gěi wǒ sòng xíng, zhēn guò yì bú qù.

B：Lǎo péngyou bù néng bú sòng.

A：Shì a, zhēn shěbude ne.

C：Xièxie péngyoumen.

A、B：Zhù nǐ yílù shùnlì!

Zhù nǐ yílù píng'ān
祝你一路平安
HAVE A PLEASANT JOURNEY

1 Jùzi
句子 Sentences

293 离 起飞 还 早 呢。
Lí qǐfēi hái zǎo ne.

There is plenty of time before the takeoff.

294 你 快 坐 下，喝 点儿
Nǐ kuài zuò xia, hē diǎnr

Please sit down and have a cold drink.

冷饮 吧。
lěngyǐn ba.

295 你 没 把 护照 放 在
Nǐ méi bǎ hùzhào fàng zài

You didn't put your passport in the trunk, did you?

箱子 里 吧?
xiāngzi li ba?

296 一会儿 还 要 办 出 境
Yíhuìr hái yào bàn chū jìng

Yon'll have to go through exit formalities in a moment.

手续 呢。
shǒuxù ne.

297 一路 上 多 保重。
Yílù shang duō bǎozhòng.

Take good care of yourself on the trip.

298　希望　你　常　跟　我们
　　　Xīwàng　nǐ　cháng　gēn　wǒmen

　　　联系。
　　　liánxì.

I hope you will keep in touch with us.

299　你　可　别　把　我们　忘了。
　　　Nǐ　kě　bié　bǎ　wǒmen　wàng le.

Never forget us.

300　我　到了　那儿，　就　给
　　　Wǒ　dàole　nàr,　　jiù　gěi

　　　你们　打　电话。
　　　nǐmen　dǎ　diànhuà.

I'll call you as soon as I get there.

301　祝　你　一路　平安!
　　　Zhù　nǐ　yílù　píng'ān!

I wish you a pleasant journey.

2　会话　Conversations

Huìhuà

1……

刘京：　离　起飞　还　早　呢。
Liú Jīng:　Lí　qǐfēi　hái　zǎo　ne.

玛丽：　我们　去　候机室　坐　一会儿。
Mǎlì:　Wǒmen qù　hòujīshì　zuò　yíhuìr.

王兰：　张　　丽英还　没　来。
Wáng Lán:　Zhāng Lìyīng　hái　méi　lái.

刘京：　你看，她　跑　来　了。
Liú Jīng:　Nǐ kàn,　tā　pǎo　lai　le.

丽英：　车　太　挤，耽误了　时间，我　来　晚　了。
Lìyīng:　Chē tài　jǐ,　dānwule shíjiān,　wǒ　lái wǎn　le.

刘京：　不　晚，你　来　得　正　合适。
Liú Jīng:　Bù wǎn,　nǐ　lái　de　zhèng héshì.

王兰：　哎呀，你　跑　得　都　出　汗　了。
Wáng Lán:　Āiyā,　　nǐ　pǎo　de　dōu chū hàn le.

玛丽：　快　坐下，喝点儿　冷饮　吧。
Mǎlì:　Kuài zuò xia,　hē diǎnr　lěngyǐn ba.

王兰：　你没把　护照　放在　箱子　里　吧?
Wáng Lán:　Nǐ méi bà hùzhào fàng zài xiāngzi li　ba?

玛丽：　我　随身　带着　呢。
Mǎlì:　Wǒ suíshēn　dàizhe ne.

王兰：　你　该　进去　了。
Wáng Lán:　Nǐ gāi jìnqu le.

丽英：　一会儿　还要　办出　境　手续　呢。
Lìyīng:　Yíhuìr　hái yào bàn chū jìng shǒuxù ne.

2......

王兰：　给　你　行李，拿好。准备　海关　检查。
Wáng Lán：　Gěi　nǐ　xíngli，　ná hǎo. Zhǔnbèi　hǎiguān jiǎnchá.

丽英：　一路上　多　保重。
Lìyīng：　Yílù shang　duō bǎozhòng.

刘京：　希望　你　常　跟　我们　联系。
Liú Jīng：　Xīwàng　nǐ cháng gēn wǒmen　liánxì.

王兰：　你　可　别　把　我们　忘　了。
Wáng Lán：　Nǐ　kě　bié bǎ wǒmen wàng　le.

玛丽：　不　会　的。我　到了　那儿，　就　给　你们　打　电话。
Mǎlì：　Bú huì de.　Wǒ dàole　nàr，　jiù　gěi nǐmen dǎ diànhuà.

刘京：　问候　你　全　家　人！
Liú Jīng：　Wènhòu nǐ quán jiā rén！

王兰：　问　安妮　小姐　好！
Wáng Lán：　Wèn Ānní xiǎojie hǎo！

大家：　祝　你　一路　平安！
dàjiā：　Zhù nǐ yílù píng'ān！

玛丽：　再见　了！
Mǎlì：　Zàijiàn le！

大家：　再见！
dàjiā：　Zàijiàn！

3

替换与扩展 Tìhuàn yǔ Kuòzhǎn Substitution and Extension

▶ 替换 Tìhuàn

1. 你没把护照放在
Nǐ méi bǎ hùzhào fàng zài

箱子里吧？
xiāngzi li ba?

帽子	忘	汽车上
màozi	wàng	qìchē shang
钥匙	锁	房间里
yàoshi	suǒ	fángjiān li
牛奶	放	冰箱里
niúnǎi	fàng	bīngxiāng li

2. 你可别把我们忘了。
Nǐ kě bié bǎ wǒmen wàng le.

这件事	耽误
zhè jiàn shì	dānwu
这支笔	丢
zhè zhī bǐ	diū
那句话	忘
nà jù huà	wàng

3. 希望你常来信。
Xīwàng nǐ cháng lái xìn.

认真学习	好好考虑
rènzhēn xuéxí	hǎohāo kǎolǜ
继续进步	努力工作
jìxù jìnbù	nǔlì gōngzuò

▶ 扩展 Kuòzhǎn

1. 今天 我们 下了 班 就 去 看 展览 了。
Jīntiān wǒmen xiàle bān jiù qù kàn zhǎnlǎn le.

2. 昨天 我 没 上 班，我 去 接 朋友 了。
Zuótiān wǒ méi shàng bān, wǒ qù jiē péngyou le.

我 去 的 时候， 他 正在 办 入 境 手续。
Wǒ qù de shíhou, tā zhèngzài bàn rù jìng shǒuxù.

4

Shēngcí
生词 New Words

1	冷饮	N.	lěngyǐn	cold drink
2	出境		chū jìng	to leave the country
3	保重	V.	bǎozhòng	to take care
4	希望	V., N.	xīwàng	to hope; wish
5	可	Adv.	kě	(for emphasis)
6	平安	Adj.	píng'ān	safe
7	候机室	N.	hòujīshì	airport lounge
8	跑	V.	pǎo	to run
9	挤	Adj., V.	jǐ	crowded, jammed; to squeeze
10	耽误	V.	dānwu	to delay
11	合适	Adj.	héshì	proper
12	汗	N.	hàn	sweat
13	海关	N.	hǎiguān	customs
14	问候	V.	wènhòu	to greet, to ask after
15	帽子	N.	màozi	cap, hat
16	牛奶	N.	niúnǎi	milk
17	认真	Adj.	rènzhēn	careful, conscientious, earnest
18	考虑	V.	kǎolǜ	to think; to consider
19	进步	Adj.	jìnbù	progressive
20	努力	Adj.	nǔlì	to make an effort
21	下班		xià bān	come or go off work
22	展览	V., N.	zhǎnlǎn	to exhibit; exhibition

| 23 | 上班 | shàng bān | to go to work |
| 24 | 入境 | rù jìng | to enter a country |

Zhuānmíng
专名 Proper Name

安妮 Ānní Anne

5

Yǔfǎ
语法 Grammar

1. "把" 字句 "Bǎ" zì jù (3) The "把" sentence (3)

❶ "把" 字句的否定形式是在 "把" 之前加否定副词 "不" 或 "没"。例如：

"Bǎ" zì jù de fǒudìng xíngshì shì zài "bǎ" zhīqián jiā fǒudìng fùcí "bù" huò "méi". Lìrú:

The negative sentence with "把 bǎ" is formed by putting the negative adverb "不 bù" or "没 méi" before "把," e.g.

（1）安娜没把这课练习做完。
Ānnà méi bǎ zhè kè liànxí zuò wán.

（2）他没把那件事告诉小张。
Tā méi bǎ nà jiàn shì gàosu Xiǎo Zhāng.

（3）今天晚上不把这本小说看完，就不休息。
Jīntiān wǎnshang bù bǎ zhè běn xiǎoshuō kàn wán, jiù bù xiūxi.

（4）你不把书带来怎么上课？
Nǐ bù bǎ shū dài lai zěnme shàng kè?

❷ 如有时间状语也必须放在 "把" 之前。例如：

Rú yǒu shíjiān zhuàngyǔ yě bìxū fàng zài "bǎ" zhīqián. Lìrú:

If an adverbial of time is needed, it should also be placed before "把," e.g.

（5）他明天一定把照片带来。

Tā míngtiān yídìng bǎ zhàopiàn dài lai.

（6）小王昨天没把开会的时间通知大家。

Xiǎo Wáng zuótiān méi bǎ kāi huì de shíjiān tōngzhī dàjiā.

2．"……了……就……""…le…jiù…"

The expression "…了…就…"(no sooner...than...)

表示一个动作完成紧接着发生第二个动作。例如：

Biǎoshì yí ge dòngzuò wánchéng jǐnjiēzhe fāshēng dì-èr ge dòngzuò. Lìrú:

It indicates that one action takes place immediately after the previous one, e.g.

（1）昨天我们下了课就去参观了。

Zuótiān wǒmen xiàle kè jiù qù cānguān le.

（2）他吃了饭就去外边散步了。

Tā chīle fàn jiù qù wàibian sàn bù le.

（3）明天我吃了早饭就去公园。

Míngtiān wǒ chīle zǎofàn jiù qù gōngyuán.

6

练习 **Liànxí** Exercises

1 熟读下列短语并选择造句 Shú dú xiàliè duǎnyǔ bìng xuǎnzé zào jù

Read the following phrases until fluent and make sentences with them.

耽误学习 dānwu xuéxí	进步很大 jìnbù hěn dà
耽误时间 dānwu shíjiān	有进步 yǒu jìnbù
耽误了两天课 dānwule liǎng tiān kè	学习进步 xuéxí jìnbù

很合适
hěn héshì

不合适
bù héshì

合适的时间
héshì de shíjiān

努力工作
nǔlì gōngzuò

很努力
hěn nǔlì

继续努力
jìxù nǔlì

2 用"希望"完成句子 Yòng "xīwàng" wánchéng jùzi
Complete the sentences with "希望."

（1）_____这次考试_____。
_____zhècì kǎoshì_____.

（2）_____你回国以后_____。
_____nǐ huí guó yǐhòu_____.

（3）你在医院要听大夫的话，好好休息。_____。
Nǐ zài yīyuàn yào tīng dàifu de huà, hǎohāo xiūxi. _____.

（4）每个爸爸、妈妈都_____。
Měi ge bàba、māma dōu_____.

（5）我第一次来中国，_____。
Wǒ dì-yī cì lái Zhōngguó, _____.

（6）_____这次旅行_____。
_____zhè cì lǚxíng_____.

3 为词语选择适当的位置 Wèi cíyǔ xuǎnzé shìdàng de wèizhì
Find appropriate places for the words in parentheses.

（1）她昨天 A 把 B 练习 C 做完。（没）
Tā zuótiān A bǎ B liànxí C zuò wán. (méi)

（2）我 A 今天晚上 B 把这张画儿 C 画完，就不休息。（不）
Wǒ A jīntiān wǎnshang B bǎ zhè zhāng huàr C huà wán, jiù bù xiūxi. (bù)

（3）昨天我们下 A 课 B 就去 C 参观 D。（了）
Zuótiān wǒmen xià A kè B jiù qù C cānguān D. (le)

（4）他每天吃 A 饭 B 就去 C 外边散步。（了）

Tā měi tiān chī **A** fàn **B** jiù qù **C** wàibian sàn bù. (le)

④ **选择适当的词语填空** Xuǎnzé shìdàng de cíyǔ tiánkòng

Fill in the blanks with proper words／phrases from those given below.

平安	特别	一边……一边……	演	替	为	希望	要……了
píng'ān	tèbié	yìbiān…yìbiān…	yǎn	tì	wèi	xīwàng	yào…le

尼娜___回国___，我们___她开了一个欢送会。那天_____热闹，同学们_____谈话_____喝茶，还___了不少节目。我们说_____她回国以后常来信，而且___我们问候她全家，祝她一路_____。

Nínà_____huí guó_____, wǒmen_____tā kāile yí ge huānsònghuì. Nàtiān_____rènao, tóngxuémen_____tán huà_____hē chá, hái_____le bù shǎo jiémù. Wǒmen shuō_____tā huí guó yǐhòu cháng lái xìn, érqiě_____wǒmen wènhòu tā quán jiā, zhù tā yílù_____.

⑤ **完成对话** Wánchéng duìhuà Complete the following conversation.

A：小李，你这次出差去多长时间？

B：_____。

A：出差很累，你要_____。

B：谢谢，我一定注意。你要买什么东西吗？

A：不买。太麻烦了。

B：_____，我可以顺便给你带回来。

A：不用了。祝你_____！

B：谢谢！

A：Xiǎo Lǐ, nǐ zhè cì chū chāi qù duō cháng shíjiān?

B：_____.

A：Chū chāi hěn lèi, nǐ yào_____.

B：Xièxiè, wǒ yídìng zhùyì. Nǐ yào mǎi shénme dōngxi ma?

A：Bù mǎi. Tài máfan le.

B：＿＿＿＿＿＿＿＿＿＿, wǒ kěyǐ shùnbiàn gěi nǐ dài huilai.

A：Bùyòng le. Zhù nǐ＿＿＿＿＿＿＿＿＿＿!

B：Xièxie!

6 说话 Shuō huà Talk about the following topic.

谈谈你来中国的时候，朋友或家里人给你送行的情况。

Tántan nǐ lái Zhōngguó de shíhou, péngyou huò jiālirén gěi nǐ sòngxíng de qíngkuàng.

Say something about the send-off your friends or family gave you when you were leaving for China.

7 听述 Tīng shù Listen and retell.

　　妹妹第一次出远门，要到英国(Yīngguó, England)去留学。我们全家送她到机场。她有两件行李，我和爸爸替她拿。妈妈很不放心，让她路上要注意安全，别感冒，到了英国就来电话，把那儿的情况告诉我们。爸爸说妈妈说得太多了，妹妹已经不是小孩子了，应该让她到外边锻炼锻炼。妈妈说："俗话(súhuà, folksay)说'儿行千里母担忧'(ér xíng qiān lǐ mǔ dānyōu, the mother worries about her son bound for a far-off land)，孩子到那么远的地方去，我当然不放心。怎么能不说呢？"

　　Mèimei dì-yī cì chū yuǎnmén, yào dào Yīngguó qù liúxué. Wǒmen quán jiā sòng tā dào jīchǎng. Tā yǒu liǎng jiàn xíngli, wǒ hé bàba tì tā ná. Māma hěn bú fàng xīn, ràng tā lù shang yào zhùyì ānquán, bié gǎnmào, dàole Yīngguó jiù lái diànhuà, bǎ nàr de qíngkuàng gàosu wǒmen. Bàba shuō māma shuō de tài duō le, mèimei yǐjīng bú shì xiǎo háizi le, yīnggāi ràng tā dào wàibian duànliàn duànliàn. Māma shuō: "Súhuà shuō 'ér xíng qiān lǐ mǔ dānyōu', háizi dào nàme yuǎn de dìfang qù, wǒ dāngrán bú fàng xīn. Zěnme néng bù shuō ne?"

8 语音练习 Yǔyīn liànxí   Phonetic drills

（1）常用音节练习 Chángyòng yīnjié liànxí   Drill on the frequently used syllables

shu	shūjià	书架	jiao	jiāo qián	交钱
	shǔ yi shǔ	数一数		dà jiǎo	大脚
	dà shù	大树		shuì jiào	睡觉

（2）朗读会话 Lǎngdú huìhuà   Read aloud the conversation.

A：Qǐng kàn yíxiàr nín de hùzhào hé jīpiào.

B：Zěnme tuōyùn xíngli?

A：Nín xiān tián yíxiàr zhè zhāng biǎo.

B：Tián wán le.

A：Gěi nín hùzhào hé jīpiào，nín kěyǐ qù tuōyùn xíngli le.

B：Hǎo，xièxie!

〔汉斯(Hànsī, Hans)和小王是好朋友。现在汉斯要回国了,小王送他到火车站。〕

王: 我们进站去吧。

汉斯: 你就送到这儿,回去吧。

王: 不,我已经买了站台(zhàntái, platform) 票了。来,你把箱子给我,
我帮你拿。

汉斯: 我拿得动。

王: 你拿手提包,我拿箱子,别客气。你看,这就是国际列车 (guójì
lièchē, international train)。

汉斯: 我在9号车厢 (chēxiāng, railway car)。

王: 前边的车厢就是。

〔Hànsī hé Xiǎo Wáng shì hǎo péngyou. Xiànzài Hànsī yào huí guó le, Xiǎo
Wáng sòng tā dào huǒchēzhàn.〕

Wáng: Wǒmen jìn zhàn qu ba.

Hànsī: Nǐ jiù sòng dào zhèr, huíqu ba.

Wáng: Bù, wǒ yǐjīng mǎile zhàntáipiào le. Lái, nǐ bǎ xiāngzi gěi wǒ, wǒ
bāng nǐ ná.

Hànsī: Wǒ ná de dòng.

Wáng: Nǐ ná shǒutíbāo, wǒ ná xiāngzi, bié kèqi. Nǐ kàn, zhè jiù shì guójì
lièchē.

Hànsī: Wǒ zài jiǔ hào chēxiāng.

Wáng: Qiánbian de chēxiāng jiù shì.

王: 汉斯,箱子放在行李架 (xínglijià, luggage rack) 上。

汉斯: 这个手提包也要放在行李架上吗?

王: 这个包放在座位下边,拿东西方便一些。

汉斯: 现在离开车还早,你坐一会儿吧。

王: 你的护照放在身边没有?

汉斯：哟（yō, *interjection*）！我的护照怎么没有了？

王：别着急，好好想想，不会丢了吧？

汉斯：对了！放在手提包里了。你看，我的记性（jìxing, memory）真坏。

王：马上就要开车了，我下去了。你到了就跟我联系。

汉斯：一定。

王：问你家里人好！祝你一路平安！

汉斯：谢谢！再见！

Wáng： Hànsī, xiāngzi fàng zài xínglijià shang.

Hànsī： Zhège shǒutíbāo yě yào fàng zài xínglijià shang ma?

Wáng： Zhège bāo fàng zài zuòwèi xiàbian, ná dōngxi fāngbiàn yìxiē.

Hànsī： Xiànzài lí kāi chē hái zǎo, nǐ zuò yíhuìr ba?

Wáng： Nǐ de hùzhào fàng zài shēnbiān méiyǒu?

Hànsī： Yō! Wǒ de hùzhào zěnme méiyǒu le?

Wáng： Bié zháojí, hǎohāo xiǎngxiang, bú huì diū le ba?

Hànsī： Duì le! Fàng zài shǒutíbāo li le. Nǐ kàn, wǒ de jìxing zhēn huài.

Wáng： Mǎshàng jiù yào kāi chē le, wǒ xiàqu le. Nǐ dàole jiù gēn wǒ liánxì.

Hànsī： Yídìng.

Wáng： Wèn nǐ jiālirén hǎo! Zhù nǐ yílù píng'ān!

Hànsī： Xièxie! Zàijiàn!

二、语法 Yǔfǎ Grammar

1. 动词的态 Dòngcí de tài　Aspects of the verb

❶ 动作即将发生，可以用"要……了"、"快要……了"或"就要……了"来表示。例如：

Dòngzuò jíjiāng fāshēng, kěyǐ yòng "yào…le"、"kuài yào…le" huò "jiù yào…le" lái biǎoshì. Lìrú:

"要…了 yào…le,""快要…了 kuài yào…le" or "就要…了 jiù yào…le" can be used to indicate that an action is going to happen immediately, e.g.

（1）飞机就要起飞了。　　　　　（2）快要到北京了。
　　　Fēijī jiù yào qǐfēi le.　　　　　　　Kuài yào dào Běijīng le.

（3）明天就要放假了。 （4）他要考大学了。
　　Míngtiān jiù yào fàng jià le. 　　Tā yào kǎo dàxué le.

❷ 动作的进行，可用"正在"、"正"、"在"、"呢"或"（正）在……呢"等表示。例如：

Dòngzuò de jìnxíng, kě yòng "zhèngzài"、"zhèng"、"zài"、"ne" huò "(zhèng) zài
…ne" děng biǎoshì. Lìrú:

"正在 zhèngzài,""正 zhèng,""在 zài,""呢 ne" or "（正）在…呢 (zhèng) zài…ne"
can be used to indicate an on-going action, e.g.

（1）我正在看报呢。 （2）他在跳舞呢。
　　Wǒ zhèngzài kàn bào ne. 　　Tā zài tiào wǔ ne.

（3）A：你在写毛笔字吗？
　　　Nǐ zài xiě máobǐ zì ma?

　　B：我没写毛笔字，我正画画儿呢。
　　　Wǒ méi xiě máobǐ zì, wǒ zhèng huà huàr ne.

❸ 动作或状态的持续，可用"着"表示，否定形式用"没（有）……着"。例如：

Dòngzuò huò zhuàngtài de chíxù, kě yòng "zhe" biǎoshì, fǒudìng xíngshì yòng
"méi (yǒu) …zhe". Lìrú:

"着 zhe" may be used to indicate the continuation of an action or a state. Its negative form is
"没有…着 méi (yǒu) …zhe," e.g.

（1）墙上挂着几张照片。
　　Qiáng shang guàzhe jǐ zhāng zhàopiàn.

（2）桌子上放着花儿，花儿旁边放着几本书。
　　Zhuōzi shang fàngzhe huār, huār pángbiān fàngzhe jǐ běn shū.

（3）他一边洗着衣服，一边唱着歌。
　　Tā yìbiān xǐzhe yīfu, yìbiān chàngzhe gē.

（4）通知上没写着他的名字。
　　Tōngzhī shang méi xiězhe tā de míngzi.

❹ 动作的完成，可以用动态助词"了"表示。否定形式用"没（有）"。例如：

Dòngzuò de wánchéng, kěyǐ yòng dòngtài zhùcí "le" biǎoshì. Fǒudìng xíngshì
yòng "méi (yǒu)". Lìrú:

The aspect particle "了 le" may be used to indicate the completion of an action. Its nega-
tive form is "没（有）méi (yǒu)," e.g.

（1）我看了一个电影。 （2）我买了两支铅笔。
　　Wǒ kànle yí ge diànyǐng. 　　Wǒ mǎile liǎng zhī qiānbǐ.

（3）他喝了一杯茶。　　　　（4）他没喝咖啡。
　　　Tā hēle yì bēi chá.　　　　Tā méi hē kāfēi.

❺ 过去的经历用"过"表示，否定式是"没（有）……过"。例如：
Guòqù de jīnglì yòng "guo" biǎoshì, fǒudìngshì shì "méi (yǒu)…guo". Lìrú:
"过 guo"is used to indicate a past experience. Its negative form is "没（有）…过 méi (yǒu) …guo,"e.g.

（1）我去过上海。　　　　（2）他以前学过汉语。
　　Wǒ qùguo Shànghǎi.　　　　Tā yǐqián xuéguo Hànyǔ.
（3）他还没吃过烤鸭呢。
　　Tā hái méi chīguo kǎoyā ne.

2. 几种特殊的动词谓语句 Jǐ zhǒng tèshū de dòngcí wèiyǔ jù
Sentences with special verbal predicates

❶ "是"字句 "Shì" zì jù　The "是" sentence

（1）他是我的同学。
　　Tā shì wǒ de tóngxué.
（2）前边是一个中学，不是大学。
　　Qiánbian shì yí ge zhōngxué, bú shì dàxué.
（3）那个电视机是新的。
　　Nàge diànshìjī shì xīn de.

❷ "有"字句 "Yǒu" zì jù　The "有" sentence

（1）我有汉语书，没有法语书。
　　Wǒ yǒu Hànyǔ shū, méiyǒu Fǎyǔ shū.
（2）我有哥哥，没有妹妹。
　　Wǒ yǒu gēge, méiyǒu mèimei.
（3）他有很多小说和杂志。
　　Tā yǒu hěn duō xiǎoshuō hé zázhì.

❸ 用"是……的"强调动作的时间、地点或方式等的句子
Yòng "shì…de" qiángdiào dòngzuò de shíjiān、dìdiǎn huò fāngshì děng de jùzi
The sentence with the "是…的 shì…de" construction is to stress when, where or how the action occurred, e.g.

（1）他是从欧洲来的。
Tā shì cóng Ōuzhōu lái de.

（2）我是坐飞机去上海的。
Wǒ shì zuò fēijī qù Shànghǎi de.

（3）他妹妹是昨天到这儿的。
Tā mèimei shì zuótiān dào zhèr de.

（4）那本杂志是从李红那儿借来的。
Nà běn zázhì shì cóng Lǐ Hóng nàr jiè lai de.

4 存现句 Cúnxiàn jù　The sentence expressing existence

（1）床旁边放着一个衣柜。
Chuáng pángbiān fàngzhe yí ge yīguì.

（2）那边走过来一个人。
Nàbiān zǒu guolai yí ge rén.

（3）我们班走了两个美国同学。
Wǒmen bān zǒule liǎng ge Měiguó tóngxué.

（4）桌子上有一本书。
Zhuōzi shang yǒu yì běn shū.

5 连动句 Liándòng jù The sentence with verbal constructions in series

（1）我去商店买东西。
Wǒ qù shāngdiàn mǎi dōngxi.

（2）我有一个问题要问你。
Wǒ yǒu yí ge wèntí yào wèn nǐ.

（3）我没有钱花了。
Wǒ méiyǒu qián huā le.

（4）他们去医院看一个病人。
Tāmen qù yīyuàn kàn yí ge bìngrén.

6 兼语句 Jiānyǔ jù The pivotal sentence

（1）老师让我们听录音。
Lǎoshī ràng wǒmen tīng lùyīn.

（2）他请我吃饭。
Tā qǐng wǒ chī fàn.

（3）外边有人找你。
Wàibian yǒu rén zhǎo nǐ.

7 "把"字句 "Bǎ" zì jù The "把" sentence

（1）他把信给玛丽了。

Tā bǎ xìn gěi Mǎlì le.

（2）他想把这件事告诉小王。

Tā xiǎng bǎ zhè jiàn shì gàosu Xiǎo Wáng.

（3）别把东西放在门口。

Bié bǎ dōngxi fàng zài ménkǒu.

（4）他没把那本小说还给小刘。

Tā méi bǎ nà běn xiǎoshuō huán gěi Xiǎo Liú.

（5）她把孩子送到医院了。

Tā bǎ háizi sòng dào yīyuàn le.

Liànxí
三、练习 Exercises

1 按照实际情况回答下列问题 Ànzhào shíjì qíngkuàng huídá xiàliè wèntí

Answer the following questions according to actual situations.

（1）你回国的时候，怎么向中国朋友、中国老师告别？

Nǐ huí guó de shíhou, zěnme xiàng Zhōngguó péngyou、Zhōngguó lǎoshī

gào bié?

提示：在中国学习、生活觉得怎么样，怎么感谢他们的帮助等等。

Tíshì: Zài Zhōngguó xuéxí、shēnghuó juéde zěnmeyàng, zěnme gǎnxiè

tāmen de bāngzhù děngděng.

（2）你参加过什么样的告别活动？

Nǐ cānjiāguo shénmeyàng de gào bié huódòng?

提示：欢送会、吃饭、照相、演节目等等。

Tíshì: Huānsònghuì、chī fàn、zhào xiàng、yǎn jiémù děngděng.

2 会话 Huìhuà Conversational drills

（1）告别 Gào bié Bidding Farewell

我来向你告别。   日子过得真快。

Wǒ lái xiàng nǐ gào bié.   Rìzi guò de zhēn kuài.

我要……了。
Wǒ yào…le.

哪天走？
Nǎ tiān zǒu?

谢谢你对我的照顾。
Xièxie nǐ duì wǒ de zhàogù.

真舍不得啊！
Zhēn shěbude a!

给你们添了不少麻烦。
Gěi nǐmen tiānle bù shǎo máfan.

对你的照顾很不够。
Duì nǐ de zhàogù hěn bú gòu.

不用送。
Búyòng sòng.

你太客气了。
Nǐ tài kèqi le.

哪儿的话！
Nǎr de huà!

没什么。
Méi shénme.

不用谢。
Bùyòng xiè.

准备得怎么样了？
Zhǔnbèi de zěnmeyàng le?

……都收拾好了吗？
…dōu shōushi hǎo le ma?

我帮你……
Wǒ bāng nǐ…

（2）送行 Sòngxíng　　Sending someone off

祝你一路平安！
Zhù nǐ yílù píng'ān!

路上多保重。
Lù shang duō bǎozhòng.

问……好！
Wèn…hǎo!

请问候……
Qǐng wènhòu…

希望你常来信。
Xīwàng nǐ cháng lái xìn.

(3) 托运 Tuōyùn　Consigning for shippment

这儿能托运吗？　　　　　　运什么？
Zhèr néng tuōyùn ma?　　　Yùn shénme?

可以海运吗？　　　　　　　运到哪儿？
Kěyǐ hǎiyùn ma?　　　　　 Yùn dào nǎr?

要多长时间？　　　　　　　您的地址、姓名？
Yào duō cháng shíjiān?　　Nín de dìzhǐ、xìngmíng?

运费怎么算？　　　　　　　请填一下儿表。
Yùn fèi zěnme suàn?　　　 Qǐng tián yíxiàr biǎo.

　　　　　　　　　　　　　按照……收费。
　　　　　　　　　　　　　Ànzhào…shōu fèi.

❸ 完成对话 Wánchéng duìhuà　Complete the conversation.

A：你什么时候走？

B：＿＿＿＿＿＿＿＿＿＿＿＿＿＿＿＿＿＿。

A：＿＿＿＿＿＿＿＿＿＿＿＿＿＿＿＿＿？

B：都托运了。谢谢你的照顾。

A：＿＿＿＿＿＿＿＿＿＿＿＿＿，照顾得很不够。

B：＿＿＿＿＿＿＿＿＿＿＿＿＿。

A：我一定转告。请问候你们全家。

B：＿＿＿＿＿＿＿＿＿＿，我也一定转告。

A：祝你＿＿＿＿＿＿＿＿＿！再见！

B：＿＿＿＿＿＿＿＿＿＿＿＿＿。

A：Nǐ shénme shíhou zǒu?

B：＿＿＿＿＿＿＿＿＿＿＿＿＿＿＿＿＿.

A：＿＿＿＿＿＿＿＿＿＿＿＿＿＿＿＿＿?

B：Dōu tuōyùn le. Xièxie nǐ de zhàogù.

A：＿＿＿＿＿＿＿＿＿＿＿＿＿＿, zhàogù de hěn bú gòu.

B：＿＿＿＿＿＿＿＿＿＿＿＿＿＿。

A：Wǒ yídìng zhuǎngào. Qǐng wènhòu nǐmen quán jiā.

B: _____ , wǒ yě yídìng zhuǎngào.

A: Zhù nǐ_____! Zàijiàn!

B: _____ .

❹ 语音练习 Yǔyīn liànxí　Phonetic drills

(1) 声调练习：第一声 + 第四声 Shēngdiào liànxí：dì-yī shēng + dì-sì shēng
Drill on tones：1st tone + 4th tone

bāngzhù　　帮助

xiānghù bāngzhù　　相互帮助

xīwàng xiānghù bāngzhù　　希望相互帮助

(2) 朗读会话 Lǎngdú huìhuà　Read aloud the conversation.

A: Wǒ kuài huí guó le, jīntiān lái xiàng nǐ gào bié.

B: Shíjiān guò de zhēn kuài. Shénme shíhou zǒu?

A: Hòutiān xiàwǔ liǎng diǎn bàn.

B: Xīwàng wǒmen yǐhòu hái néng jiàn miàn.

A: Xièxie nǐ hé dàjiā duì wǒ de zhàogù.

B: Nǎr de huà, nǐ tài kèqi le. Hòutiān wǒ qù sòng nǐ.

A: Búyòng sòng le.

B: Bié kèqi.

Yuèdú Duǎnwén
四、阅读短文 Reading Passage

　　今天晚上有中美两国的排球赛。这两个国家的女排打得都很好。我很想看，可是买不到票，只能在宿舍看电视了。

　　这个比赛非常精彩。两局(jú，set)的结果(jiéguǒ，score)是 1 比 1。现在是第三局，已经打到了 12 比 12 了，很快就能知道结果了。正在这时候，王兰走了进来，告诉我有两个美国人在楼下传达室(chuándáshì，reception office)等我。他们是刚从美国来的。我不能看排球赛了，真可惜！

我一边走一边想，这两个人是谁呢？对了，我姐姐发来电子邮件说，她有两个朋友要来北京，问我要带什么东西。很可能就是我姐姐的朋友来了。

我开门走进传达室一看，啊！是我姐姐和她的爱人。我高兴极了。马上又问她："你们来，为什么不告诉我？"他们两个都笑了，她说："要是先告诉你，就没有意思了。"

Jīntiān wǎnshang yǒu Zhōng Měi liǎng guó de páiqiú sài. Zhè liǎng ge guójiā de nǚpái dǎ de dōu hěn hǎo. Wǒ hěn xiǎng kàn, kěshì mǎi bu dào piào, zhǐ néng zài sùshè kàn diànshì le.

Zhège bǐsài fēicháng jīngcǎi. Liǎng jú de jiéguǒ shì yī bǐ yī. Xiànzài shì dì-sān jú, yǐjīng dǎ dào le shí'èr bǐ shí'èr le, hěn kuài jiù néng zhīdào jiéguǒ le. Zhèngzài zhè shíhou, Wáng Lán zǒule jinlai, gàosu wǒ yǒu liǎng ge Měiguó rén zài lóu xià chuándáshì děng wǒ. Tāmen shì gāng cóng Měiguó lái de. Wǒ bù néng kàn páiqiú sài le, zhēn kěxī!

Wǒ yìbiān zǒu yìbiān xiǎng, zhè liǎng ge rén shì shuí ne? Duì le, wǒ jiějie fā lái diànzǐ yóujiàn shuō, tā yǒu liǎng ge péngyou yào lái Běijīng, wèn wǒ yào dài shénme dōngxi. Hěn kěnéng jiù shì wǒ jiějie de péngyou lái le.

Wǒ kāi mén zǒu jìn chuándáshì yí kàn, ā! Shì wǒ jiějie hé tā de àiren. Wǒ gāoxìng jí le. Mǎshàng yòu wèn tā: "Nǐmen lái, wèishénme bú gàosu wǒ?" Tāmen liǎng ge dōu xiào le, tā shuō: "Yàoshi xiān gàosu nǐ, jiù méiyǒu yìsi le."

词汇表　Vocabulary

265

城市	N.	chéngshì	31		地	Part.	de	33
迟到	V.	chídào	27		的话	Part.	dehuà	38
冲洗	V.	chōngxǐ	39		得	M.V.	děi	27
重新	Adv.	chóngxīn	39		灯	N.	dēng	34
抽	V.	chōu	27		地	N.	dì	24
出差		chū chāi	24		地址	N.	dìzhǐ	37
出境		chū jìng	40		电梯	N.	diàntī	23
出门		chū mén	24		电影院	N.	diànyǐngyuàn	23
出院		chū yuàn	34		丢	V.	diū	29
除了…		chúle…			冬天	N.	dōngtiān	28
以外		yǐwài	30		动	V.	dòng	38
传真	N.	chuánzhēn	34		度	M.W.	dù	28
窗户	N.	chuānghu	24		锻炼	V.	duànliàn	34
窗口	N.	chuāngkǒu	32		队	N.	duì	29
春天	N.	chūntiān	28		对不起	V.	duìbuqǐ	23

D

E

打开		dǎ kāi	26		饿	Adj.	è	33
打扰	V.	dǎrǎo	36					
打算	V.,N.	dǎsuàn	36					

F

打听	V.	dǎting	38					
打针		dǎ zhēn	34		发烧		fā shāo	34
打字		dǎ zì	30		发音	N.	fāyīn	30
大使馆	N.	dàshǐguǎn	38		方便	Adj.	fāngbiàn	25
大厅	N.	dàtīng	32		方便面	N.	fāngbiànmiàn	35
戴	V.	dài	35		放	V.	fàng	25
耽误	V.	dānwu	40		放假		fàng jià	29
蛋糕	N.	dàngāo	26		放心		fàng xīn	30
当	V.	dāng	30		非常	Adv.	fēicháng	31
导游	N.	dǎoyóu	30		分	N.	fēn	26
倒	V.	dǎo	35		风	N.	fēng	24

270

终于	Adv.	zhōngyú	33	转告	V.	zhuǎngào	21
重	Adj.	zhòng	34	撞	V.	zhuàng	35
周末	N.	zhōumò	35	桌子	N.	zhuōzi	25
主意	N.	zhǔyi	39	准备	V.	zhǔnbèi	36
住院		zhù yuàn	34	准时	Adj.	zhǔnshí	35
注意	V.	zhùyì	27	自己	Pron.	zìjǐ	25
祝	V.	zhù	26	嘴	N.	zuǐ	34
祝贺	V.	zhùhè	26	最近	N.	zuìjìn	35
转	V.	zhuǎn	39	左边	N.	zuǒbian	37

专 名 Proper Names